Y0-CCR-402

bolsos de diseño

bolsos de diseño

PROYECTOS SORPRENDENTES
PARA TODAS LAS OCASIONES

DOROTHY WOOD

C/ San Rafael, 4
28108 Alcobendas. Madrid
Tel.: (34) 91 657 25 80
Fax: (34) 91 657 25 83
e-mail: libsa@libsa.es
www.libsa.es

ISBN: 978-84-662-2507-6

Traducción: Mª Jesús Sevillano Ureta

Título original: *Bags, bags, bags. 18 stunning designs for all occasions*

contenido

bolsos confeccionados

bolsos tipo saco

bolsas de la compra

asas rectas

asas en forma de U

asas redondas

introducción

A diferencia de nuestras abuelas, pocas de nosotras nos contentamos con tener un solo bolso. A lo largo del día, los necesitamos de varias formas y tamaños, desde las bolsas de la compra que utilizamos a diario a los bolsos decorativos más pequeños que llevamos en ocasiones especiales. Lo que necesitamos llevar determina el tamaño y forma de cada bolso. La bolsa de labores de pana de la página 60 es lo suficientemente grande como para llevar las agujas de hacer punto y la lana; mientras que el diminuto bolso de noche de terciopelo rojo de la página 29 solo sirve para llevar el monedero y las llaves. El diseño depende también de nuestra forma de vida: en la ciudad necesitamos bolsos seguros que se amolden a nuestro cuerpo, como el de *tweed* de la página 76, o la bolsa de la compra de asas largas de la página 48. Y puedes llenar tu armario de muchos bolsos con diseños increíbles y exclusivos sin gastar una excesiva cantidad de dinero.

Todos los bolsos tienen asas de alguna clase y, como el tipo de asa es el que define realmente su estilo, eso ha influido en el modo en el que se presentan en este libro. Los capítulos incluyen bolsos con asas de tela, con asas rectas, con forma de D o con asas redondas.

Las asas se fabrican con diversos materiales (madera, bambú y acrílico) y gran variedad de estilos. Ello facilita el cambio de aspecto de un bolso: elige un asa acrílica brillante en vez de bambú y su aspecto cambiará de natural a contemporáneo.

Y si cambias el tejido de *tweed* suave por una loneta de colores vivos o un tejido de PVC, la transformación será completa.

Existe una enorme variedad de formas y estilos para elegir, desde bolsos de mano a bolsos de viaje o deporte. Todos los diseños se pueden confeccionar personalizándolos para adaptarlos a tu propio gusto para crear un bolso realmente único. Esto es posible porque cada uno de ellos tiene su propio patrón que o bien se puede ampliar, o bien se pueden utilizar las medidas exactas que se incluyen en las instrucciones.

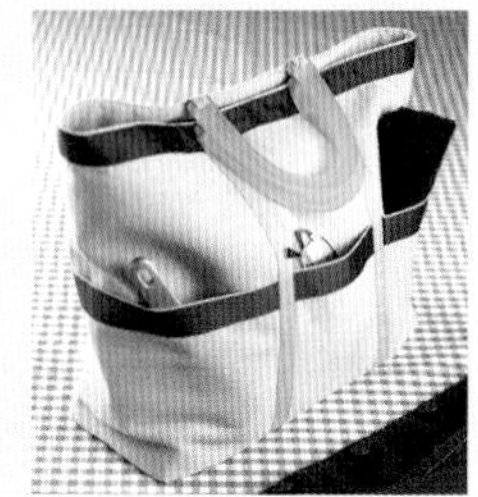

Aunque serían de utilidad ciertos conocimientos de confección, no es necesario tener una habilidad especial para hacer cualquiera de los bolsos que aparecen en este libro. En cada proyecto figuran instrucciones claras realizadas paso a paso y fotografías detalladas que te guiarán desde que empieces a cortar hasta que compongas el bolso. Si llevas poco tiempo cosiendo, lee la sección de «Técnicas» antes de empezar para que te familiarices con algunas de las básicas y vuelve siempre a ellas cuando se indique en el texto.

Hacer tus propios bolsos tiene muchas ventajas: no solo produce una gran satisfacción y disfrute, sino que al elegir la tela, los colores y los adornos, estarás confeccionando un bolso exclusivo. Y ten en cuenta que el coste de hacer un bolso único en casa siempre será más barato que comprarlo o encargarlo. Además, con tantos diseños diferentes para elegir ¡estarás entretenida durante algún tiempo!

materiales y accesorios

El tipo de accesorios que se necesita para hacer bolsos es muy parecido al que se utiliza para confeccionar ropa o textiles para el hogar. Solamente necesitas una máquina de coser básica que haga pespuntes rectos, aunque resultará útil una máquina con aguja para hacer costuras en zigzag. Recuerda adecuar el tamaño de la aguja de la máquina al peso de la tela o se romperá. Un tamaño de 14/16 es perfecto. Lee esta sección para obtener una visión general del tipo de materiales y accesorios más apropiados para hacer bolsos.

telas

Los bolsos se pueden hacer con una amplia variedad de telas. Es posible utilizar cualquier material, desde organza transparente a textiles para el hogar pesados; todo depende del estilo del bolso. Cuando vayas a comprar tela, probablemente te dirigirás por instinto al departamento de confección, pero es posible que encuentres telas más apropiadas en el departamento de textiles para el hogar o de material para cortinas.

La mayoría de los bolsos de uso diario requieren una tela bastante rígida para mantener su forma mientras se utilice y para que sea lo bastante resistente para llevar tus cosas o la compra. Los textiles para el hogar son muy resistentes, pero se pueden coser con bastante facilidad. Otra de las ventajas de estos textiles es la gran variedad disponible. Mira en los muestrarios o rieles de los grandes almacenes de tu zona y busca telas bonitas, como la estampada de lunares que se ha utilizado en la página 43, o la tela jacquard de color crema de la página 84. La cantidad mínima para comprar suele ser de un metro; aunque te sobre tela, tendrás un bolso exclusivo y nada caro.

forros

El forro es la tela que se coloca en el interior del bolso. Cubre cualquier entretela o costura fea y aporta al bolso un acabado profesional. Es importante pensar en el forro tanto como en la tela principal. Por lo general, suele ser una tela más ligera, pero deberías elegirla dependiendo del estilo del bolso. Un bolso de noche puede llevar un forro lujoso de seda, satén o tafetán, mientras que una bolsa de la compra necesita una tela más resistente. Elige colores o estampados que complementen al de la tela principal. Eso no significa que tenga que ir a juego con ella, puede contrastar por completo para darle un aspecto original.

entretelas

La entretela es un componente esencial a la hora de hacer un bolso. Se coloca entre la tela del bolso y el forro y se debería fijar a la tela principal. Las más prácticas son las termo-adhesivas, que se planchan en vez de coserlas, pues se adhieren a la tela completamente. Incluso puedes utilizar una entretela termo-adhesiva ligera para que una tela de vestido adquiera el cuerpo suficiente para hacer un bolso.

Sea cual sea la tela que hayas escogido, quizá necesites usar una entretela para mantener bien la forma deseada del bolso. Existe una amplia variedad disponible, desde ultraligeras, de poco peso, a las de textiles diseñadas para alzapaños y cenefas. La que vayas a utilizar dependerá de

De arriba hacia abajo, tejido adhesivo fundible; entretela Vilene para coser; entretela tejida ligera termo-adhesiva; entretela extrasuave termo-adhesiva; entretela de loneta termo-adhesiva; entretela de textil para hogar suave y fundible.

la elección de la tela y del estilo de bolso que vayas a hacer. En las instrucciones paso a paso de cada uno de los bolsos se indica el tipo de entretela que se debe utilizar, pero comprueba que la que elijas es la más adecuada para tu tela.

asas para bolsos

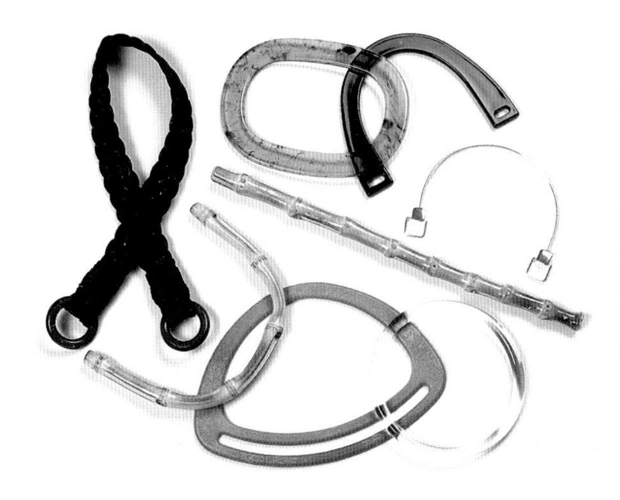

Existen asas de todas las formas y tamaños, y se pueden encontrar tanto en tiendas de artesanía como en tiendas de tejidos para confección. Si tienes dificultad en encontrarlas, ve a la lista de proveedores para pedirlas por correo electrónico u *on-line*. Todas las asas utilizadas en este libro son las más habituales en las tiendas especializadas.

Las asas para bolsos se agrupan según el material del que están fabricadas, y las más populares son las acrílicas, las de madera y las de bambú. Las asas acrílicas claras, que se pueden conseguir en una amplia variedad de formas, son especialmente útiles porque se pueden teñir de cualquier color usando tinte de agua caliente (ver página 17).

Una vez decidido el bolso que vas a hacer, observa con atención el estilo y tamaño del asa; es más importante si las vas a pedir por catálogo o por internet. Puedes elegir un asa de material diferente, pero procura que sea del mismo tamaño y forma que los del modelo.

fornitura

Fornitura es un término que se refiere a todos los accesorios de metal o mercería utilizados para hacer bolsos. Se puede disponer fácilmente de fornitura: se compra en tiendas de artesanía o en grandes almacenes. Puedes hacer bolsos sin usar estos accesorios, pero son los que dan a un bolso de mano un acabado profesional. Sigue las instrucciones del fabricante para colocarlos, las de los pasos del proyecto o las de la sección de técnicas.

Cierres magnéticos: diseñados especialmente para cerrar bolsos. Se componen de dos partes que se introducen por unos cortes realizados en la tela del bolso y se aseguran por el reverso. Elige acabados en negro, dorado, bronce o plateado.

Remaches: estos clavos de adorno protegen la tela de la base del bolso. Los remaches se insertan por cortes realizados en la tela y se fijan por el interior.

Presillas para asas: algunas asas en forma de U se sujetan con presillas. Estas presillas tienen un alfiler de gancho que se introduce por un agujero del asa.

Ojetes, broches a presión, automáticos y corchetes: esta fornitura de metal se vende con una herramienta adecuada, aunque puedes comprar unos alicates especiales. Los broches a presión, automáticos y corchetes se utilizan para asegurar o abrochar. Los ojetes son agujeros nítidos realizados en la tela. Los ojetes pequeños resultan ideales para correas o para adornar. Los más grandes se utilizan para introducir el cordón en los bolsos de loneta.

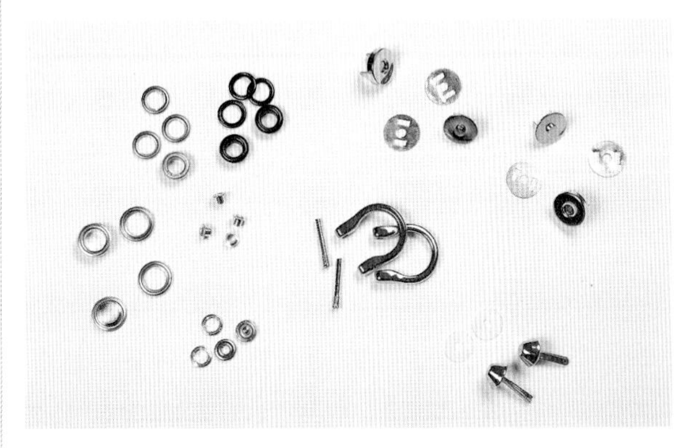

tijeras

Utiliza un par de tijeras grandes de corte y confección para cortar la tela. Las más largas realizan un corte más limpio; debes reservarlas solo para la tela. Ten otras tijeras diferentes para cortar papel, pues se desafilarán si cortas tela. Unas tijeras pequeñas afiladas, como las que se utilizan para bordar, resultan útiles para recortar, hacer cortes en costuras y recortar hilos.

técnicas

Junto a los bolsos que aparecen en este libro figuran instrucciones claras realizadas paso a paso que son fáciles de seguir si tienes cierta habilidad en corte y confección. Si llevas poco tiempo cosiendo, te ayudará leer las técnicas antes de empezar a hacer cualquier bolso y volver a dichas instrucciones detalladas cuando se indique en el texto.

ampliar los patrones

Debido a la limitación de espacio, no es posible incluir patrones de tamaño real de los diseños de bolsos. El modo más sencillo de ampliar las plantillas que aparecen en las páginas 88-95 es fotocopiándolas. Cada plantilla te detalla cuánto es necesario ampliar el patrón. Fotocopia la plantilla en un folio de tamaño A4 y después amplíala el porcentaje que se indica utilizando papel de tamaño A3.

añadir margen para las costuras

Los patrones no incluyen márgenes para las costuras. Se añadirán unos márgenes de 1,5 cm a la tela principal, forro y entretela, a menos que se indique otra medida, aunque las entretelas suelen recortarse lo más próximo posible a los pespuntes de la costura para reducir volumen. Puedes añadir los márgenes para las costuras una vez que hayas ampliado el patrón, si hay espacio suficiente en el papel, o puedes añadirlos a la hora de cortar la tela. La técnica es la misma para ambos métodos.

• Amplía la plantilla hasta lograr el tamaño correcto. Utiliza una cinta métrica o una regla, ve rodeando el borde del patrón realizando marcas a 1,5 cm desde el borde. En los lados rectos puedes espaciar las marcas y unirlas luego con la ayuda de una regla; pero en los bordes en curva, las marcas deben estar más próximas entre sí para que el corte sea más preciso.

preparar la tela

El modo de doblar la tela ya preparada para cortar depende de la que hayas elegido. La tela lisa no da problemas, pues se hacen coincidir los derechos al doblarla. Dobla siempre la tela siguiendo un hilo recto, por ejemplo, un hilo de la tela, de modo que cuando se corten las piezas del patrón, estas queden rectas.

• Si la tela tiene un estampado marcado, como la que se ha empleado en el bolso adornado de la página 52, o un detalle grande, como esta flor bordada, corta la tela en capas sencillas para asegurarte de que el patrón está exactamente en el lugar donde quieres que esté.

• Los tejidos con lanilla o pelo, como el terciopelo o la pana, solo se pueden doblar en una dirección (el pelo o la lanilla irán en la misma dirección que el pliegue). Si la doblas de otra manera, en un lado del bolso el pelo irá hacia abajo y en el otro irá hacia arriba. El pelo debería ir hacia arriba porque es donde la tela tiene el color más intenso.

cortar

Dobla la tela como sea necesario y coloca las piezas del patrón. Piensa en qué aspecto tendrá el bolso una vez que hayas cortado y compuesto las piezas del patrón, pues esto podría influir en la posición de las mismas. Los escudetes son bastante incómodos y cada tejido es diferente. Una norma general es la de concentrarse en las piezas principales del bolso o en el trocito de dibujo que se verá en el bolso acabado y combinar estas secciones.

• Sujeta con alfileres el patrón siguiendo la trama recta del tejido, de un lado a otro de la tela o de arriba hacia abajo. Marca los márgenes para las costuras y corta utilizando las tijeras grandes de corte y confección para conseguir una línea uniforme.

marcar las piezas del patrón

Algunas plantillas tienen marcados unos puntos que hay que pasar a la tela. Estos puntos marcan las diferentes piezas del patrón que deben unirse, o también dónde es necesario coser las costuras. Puedes marcar con un lápiz la tela en el margen de la costura, pero es mejor hacer un hilván en cada punto. Para ayudar a sujetar con alfileres y puntadas, también puedes marcar la posición de los puntos marcados con un hilván de sastre (o punto flojo), como en el caso del extremo de los escudetes.

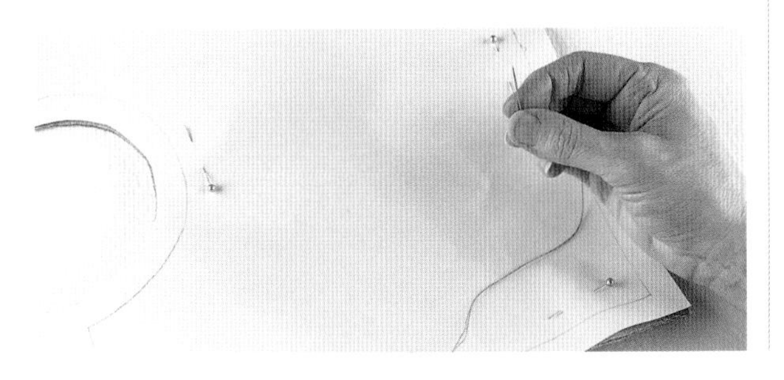

• Utiliza una hebra doble larga de color vivo, da una pequeña puntada en el punto y deja una hebra de unos 2,5 cm. Da una segunda puntada sobre la primera y deja una presilla larga.

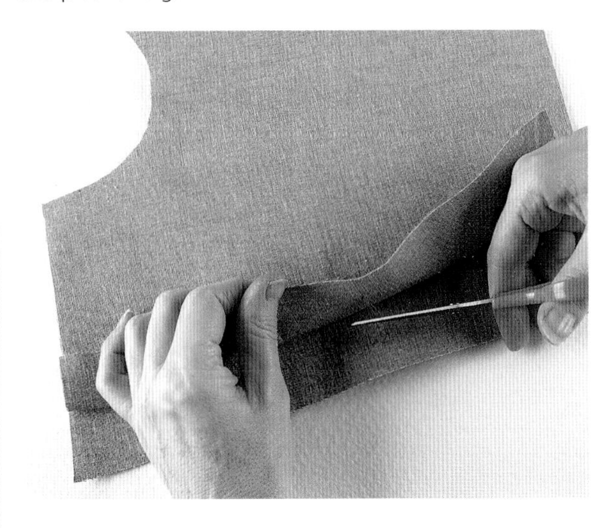

• Corta la hebra dejando 2,5 cm de hilo en el otro lado. Tira de las capas de tela para separarlas y corta el hilo entre ellas dejando un poco de hilo en cada pieza.

costura de refuerzo

La costura de refuerzo evita que la tela se estire mientras se está componiendo. Es una costura a máquina realizada sobre una capa sencilla de tela, normalmente alrededor de una curva.

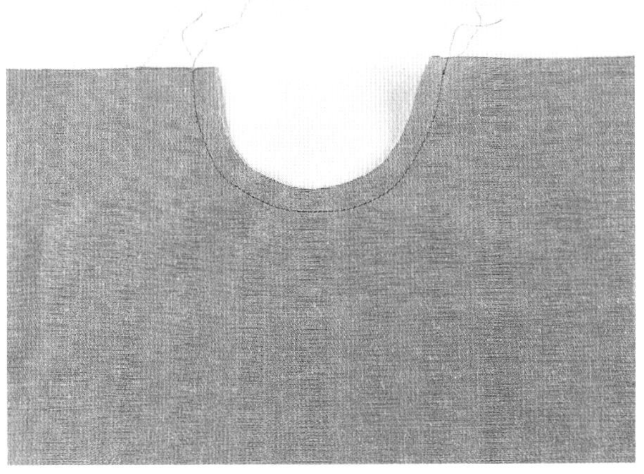

• Haz un pespunte normal a máquina por debajo del margen de la costura, de modo que la de refuerzo no se vea cuando se realice la costura.

hilvanar

El hilván es una puntada rápida que se emplea para mantener unidas dos capas de tela mientras se cose a máquina. Empieza con un nudo y utiliza un color que contraste para que se pueda quitar con facilidad después de haber cosido. Hilvanar es importante especialmente si vas a coser tela estampada o preparar frunces.

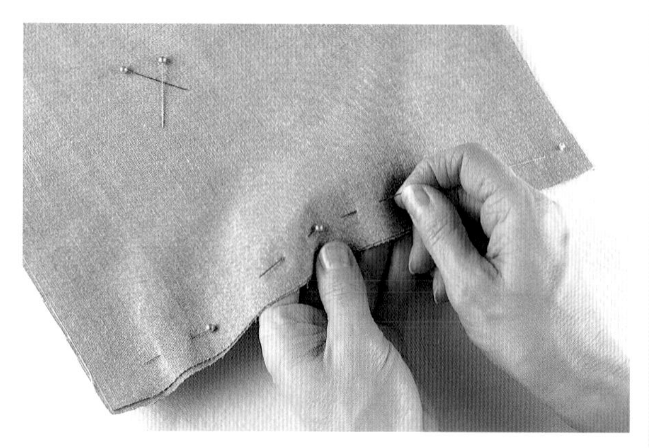

• Da una puntada corta atravesando la tela y deja un espacio más grande antes de dar la siguiente puntada.

puntada rápida sin hilván

Las telas que se utilizan para hacer bolsos suelen ser bastante duras o se han forrado de entretela, así que se pueden coser con facilidad sin hilvanar antes.

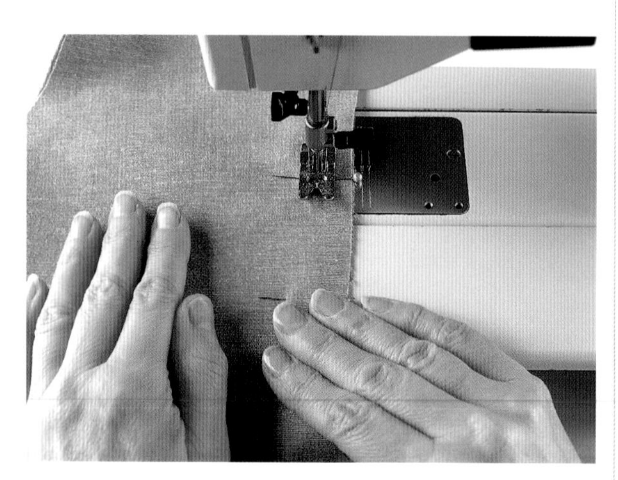

• Sujeta con alfileres las capas de tela. Los alfileres cruzan la costura y la cabeza sobresale por el borde. Puedes coser por encima de los alfileres y quitarlos según vas llegando a ellos.

costura a máquina

No necesitas una máquina de coser sofisticada para hacer bolsos, ya que el pespunte que más vas a utilizar es el recto y alguna vez el pespunte en zigzag. Usa un hilo de coser de buena calidad porque las costuras deben ser resistentes. Fija la longitud del pespunte entre el 2 y el 3. Usa una aguja adecuada al peso de la tela (un tamaño 80 o 90 es idónea). Cada vez que cambies de tela, comprueba el pespunte en una capa doble de tela y modifica la tensión del hilo superior si es necesario. La puntada debería parecer igual por ambos lados con un punto diminuto de hilo entre cada pespunte.

Tensión del hilo superior demasiado fuerte.

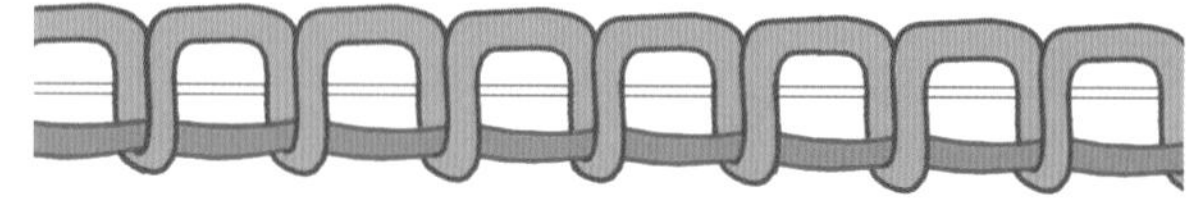

Tensión del hilo superior demasiado floja.

Tensión correcta.

Si el enlace del hilo se encuentra por encima (por el derecho) de la tela, hay demasiada tensión en el hilo superior. Mueve el botón de selección de tensión a un número más bajo. Si el enlace está por debajo (por el revés) de la tela, la tensión del hilo superior es demasiado floja (mueve el selector de tensión a un número más alto).

Cuando se aplica la tensión correcta, los pespuntes de la tela parecen idénticos por ambos lados. Debería haber un punto diminuto entre cada pespunte recto por ambos lados.

punto atrás

El punto atrás se emplea para rematar los hilos al final de una línea de pespuntes a máquina, o para reforzar ciertas partes de la costura.

• Al principio o al final de una costura, ajusta la máquina para dar unos pespuntes hacia atrás y volver sobre los que ya has hecho a lo largo de unos 2 cm.

fruncidos

En algunos diseños de este libro se han empleado frunces para dar forma a un bolso. Se pueden hacer a mano, realizando dos hileras de pequeñas puntadas continuas a cada lado de la costura, pero resulta más fácil fruncir a máquina.

• Aumenta la longitud del pespunte al número 4. Enhebra la máquina con un hilo de color que contraste. Cose una hilera de fruncido a 0,3 cm de cada lado de la línea de la costura. Utiliza como guía las líneas de la placa que se encuentra debajo del pie prensatelas.

• Tira solo de los hilos superiores de las líneas de fruncido y frunce la tela hasta obtener la longitud deseada. Prende un alfiler en cada extremo y enrolla el hilo alrededor para asegurar.

• Puedes coser sobre los alfileres, pero obtendrás un resultado más igualado si hilvanas primero el fruncido para colocarlo en su sitio y quitas los alfileres antes de coser a máquina. Cambia la longitud del pespunte al número 2 o 3 entre las líneas de fruncido. Tira de los hilos para fruncir.

recortar

Los márgenes para las costuras son de 1,5 cm en todos los patrones y, una vez cosidas, las costuras se suelen aplastar. Pero en algunos casos necesitarás reducir el tamaño del margen para disminuir volumen o permitir que la costura rodee una curva con nitidez. Sigue las instrucciones en cada proyecto.

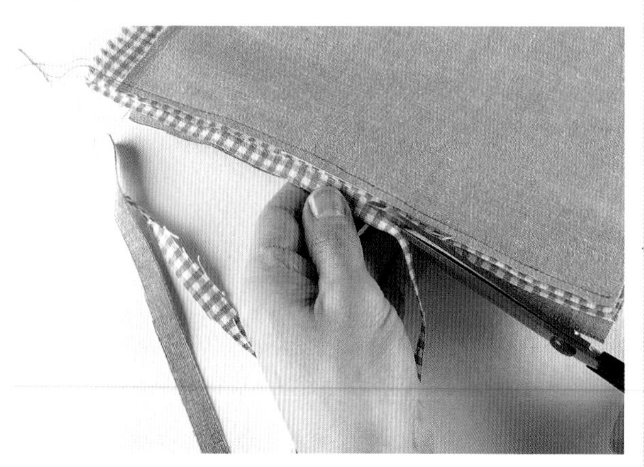

• Recorta las costuras a 6 mm. Si la tela es muy voluminosa y hay varias capas, puedes escalonar el margen. Empieza con la capa superior a 3 mm y recorta las capas siguientes a una anchura un poco mayor.

cortes o tijeretadas en curvas

Algunos bolsos se caracterizan por las líneas curvas que forman parte de su diseño y requieren un tratamiento especial para obtener los mejores resultados. Las costuras en curva no quedarán planas cuando se dé la vuelta al bolso a menos que se recorte el margen y después se hagan unos cortes o se tijeretee.

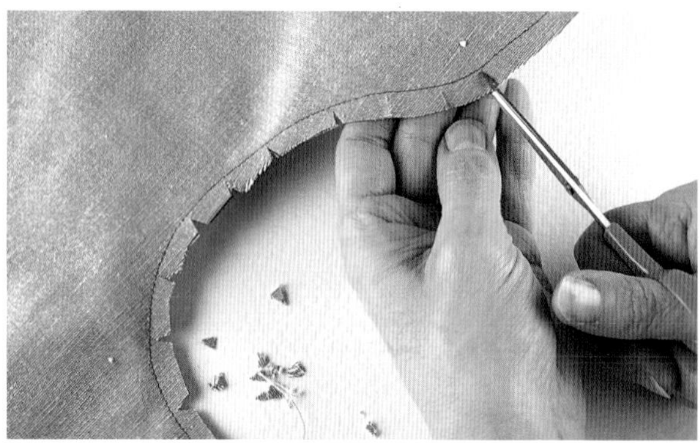

• Recorta las costuras en curva a 6 mm y después haz unos cortes cóncavos (hacia dentro) y corta con la tijera en curvas convexas (hacia fuera).

planchado

El planchado es una de las técnicas más importantes que se emplean en la fabricación de bolsos y ayuda a conseguir un resultado profesional. Es esencial planchar las costuras abiertas en cada etapa.

• Planchar las costuras abiertas reduce el volumen y permite que las capas de tela queden planas. Para obtener mejores resultados, deberías «colocar» los pespuntes presionando la costura antes de planchar para abrirla.

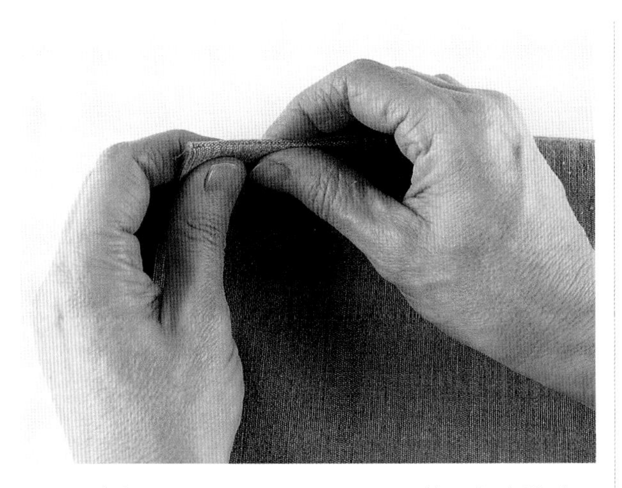

• Cuando las costuras se encuentran en el borde del bolso, abre primero la costura presionando todo lo posible. Estira la tela entre los dedos índice y pulgar para conseguir que la costura quede exactamente en el borde antes de empezar a planchar.

enrollado de tela

Son sencillamente tubos de tela, normalmente bastante estrechos, que se pueden utilizar para adornar en lugar de usar un cordón. La técnica del enrollado se aplica a tubos de varias anchuras. Corta, dobla y cose la tira de tela como se describe en las instrucciones. Puedes comprar una herramienta llamada mandril para hacerlo, pero una aguja de hacer punto será igual de eficaz.

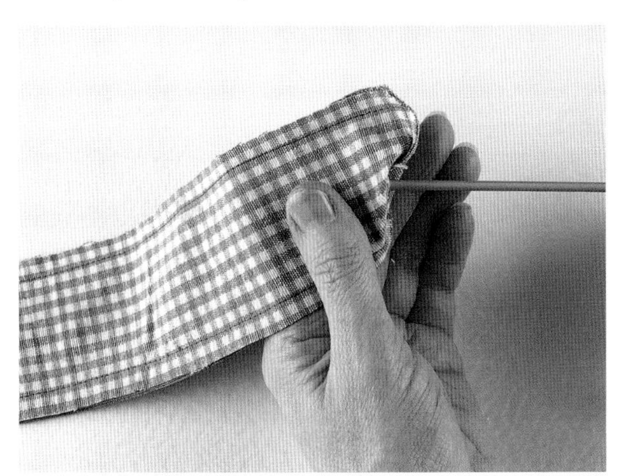

• Cose un extremo del tubo y recorta las esquinas. Entremete una esquina en el tubo e introduce el extremo de atrás de la aguja de hacer punto empujando la tela suavemente por encima de la aguja.

• Empuja la aguja de hacer punto hacia arriba, atravesando el tubo y, al mismo tiempo, afloja el tubo de tela hacia abajo por encima de la aguja. Resulta difícil empezar pero después es más sencillo.

pespunte superior

Aunque el pespunte superior se considera un elemento decorativo, tiene un fin práctico, especialmente cuando se realiza alrededor del borde superior de un bolso o correa. El pespunte superior mantiene la costura exactamente en el borde.

• Estira y presiona la costura como se ha descrito anteriormente. Cose a máquina cerca del borde. Para mantener recto el pespunte, emplea el borde del pie prensatelas como guía y mueve la aguja hacia la derecha si es necesario.

puntadas

La puntada escondida es una puntada útil que debería resultar casi invisible. Hay dos formas de darla y ambas con el mismo resultado. La puntada escondida o invisible se utiliza para cerrar un espacio en una costura, o para unir dos piezas de tela de un modo limpio donde se necesita más resistencia, por ejemplo, cuando se coloca un forro.

• Para cerrar un espacio, saca la aguja por el pliegue en un lado de la costura. Mete la aguja justo por enfrente, por el otro borde doblado. Da una puntada pequeña siguiendo el pliegue y después repite el proceso en la otra dirección.

• Para unir dos piezas de tela y que no se vean las puntadas, saca la aguja por el borde del forro y da una puntada diminuta en la tela principal. Esta puntada puede hacerse en el pespunte hecho a máquina. Vuelve a meter la aguja por el forro justo enfrente y da una pequeña puntada siguiendo la dirección del pliegue. Repite hasta llegar al final de la costura.

dobladillo

El dobladillo es una puntada resistente que se utiliza para asegurar dos piezas de tela. Aunque las puntadas se hagan con esmero, el dobladillo no es invisible y se debe intentar coser donde quede oculto.

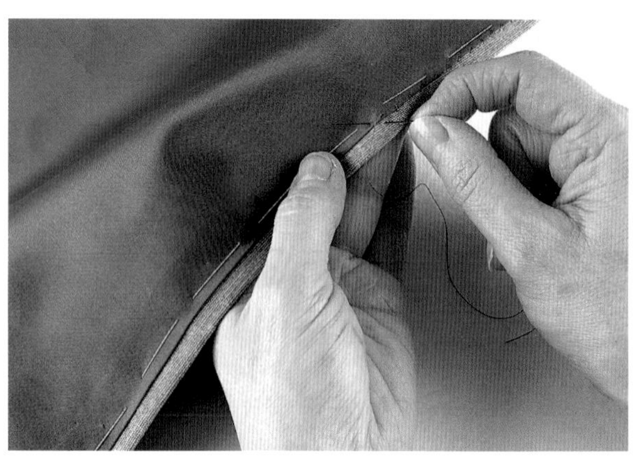

• Saca la aguja cerca del borde de la tela delantera. Introduce la aguja por la tela de detrás avanzando ligeramente hacia delante y da una puntada en diagonal tomando la tela delantera otra vez. Repite hasta llegar al final de la costura.

teñir un bolso de algodón

No es necesario lavar antes los bolsos confeccionados y se pueden teñir fácilmente con tintes de agua fría. La intensidad del color que consigas dependerá del peso de la tela en el baño de tinte. Con un bote se tiñen hasta 225 g de tela, por tanto, puedes reducir la cantidad como corresponda. Una vez que hayas teñido el bolso, es mejor comprar abalorios, gemas, botones u otros adornos que combinen con él antes que cualquier otra cosa.

• Llena un cubo de agua fría hasta la mitad. Disuelve en agua caliente la sal y un sobrecito de fijador de tinte frío, y después añádelo al agua del cubo. Disuelve el tinte en medio litro de agua caliente y añádelo también al cubo. Remueve bien con una cuchara larga de metal o plástico.

• Pon a remojo el bolso en agua templada hasta que esté completamente mojado y después mételo en el baño de tinte. Remueve constantemente 15 minutos y de vez en cuando durante los siguientes 30 o 45 minutos.

• Ponte un par de guantes de goma, saca el bolso del baño de tinte y enjuágalo en agua caliente con una gotita de detergente. Aclara en agua fría hasta que el agua salga clara. Cuélgalo hasta que casi esté seco y plánchalo mientras esté húmedo.

teñir asas

Las asas acrílicas de tono claro se pueden teñir de cualquier color empleando tintes de agua caliente. No es necesario un equipo especial, pero deberías llevar guantes de goma porque el tinte mancha. Comprueba que vas a utilizar un tinte de agua caliente, ya que los tintes de agua fría no servirán.

• Pesa 30 g de sal. Disuelve el tinte escogido en medio litro de agua hirviendo. Disuelve la sal y el fijador de tinte de agua fría en otro medio litro de agua caliente. Vierte agua suficiente en un recipiente grande hasta cubrir las asas. Añade la solución del tinte y la solución de la sal y del fijador frío, y caliéntalo hasta que hierva ligeramente. Mete las asas en el tinte y remuévelas con cuidado.

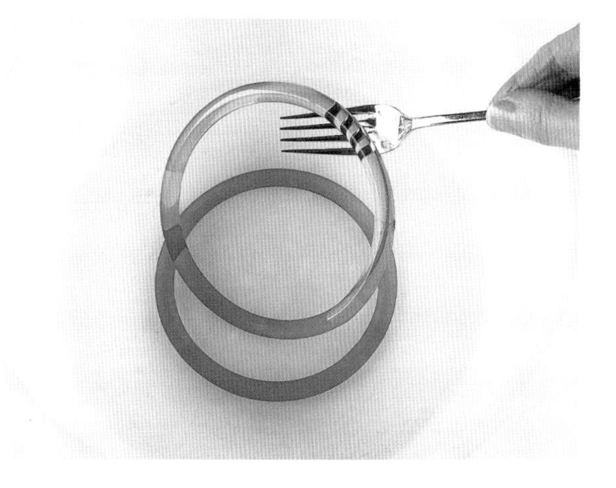

• Mantén el agua hirviendo a fuego lento, da la vuelta a las asas a los cinco minutos y sigue removiendo durante otros cinco minutos. Saca las asas del tinte utilizando un tenedor o unas pinzas y enjuágalas bien en agua fría.

proyectos

minibolsa de la compra

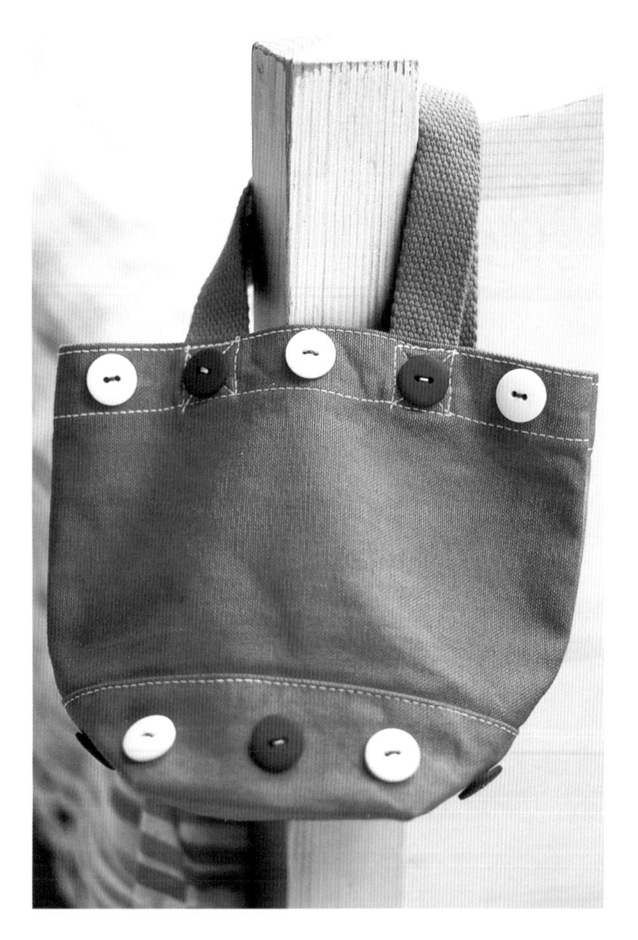

Da un toque personal a los bolsos lisos con adornos sencillos, como botones, broches o motivos de tela. Puedes comprar bolsos de telas lisas, como la vaquera o con varios tipos de tela de algodón.

materiales

- Bolsa de la compra ya confeccionada
- Bote de tinte de agua fría
- Sobrecito de fijador de tinte frío
- 110 g de sal de cocina
- 10 botones blancos
- 10 botones azules
- Hilo de coser de algodón blanco y azul
- Aguja de coser

Tiñe el bolso confeccionado del color que hayas elegido (ver página 16). Para obtener mejores resultados, plánchalo mientras esté húmedo. Elige botones a tono con el bolso teñido y distribúyelos por él hasta que te satisfaga el diseño. Cose los botones con hilo que contraste y, para lograr un acabado nítido alrededor del borde superior, intenta coser atravesando solo la capa superior de tela, de modo que no quede ninguna puntada fea en el interior.

bolso de viaje

Pintar la tela es un modo rápido de decorar un bolso teñido sencillo. Existen muchos tipos de pintura, como al esmalte, la perlada o la metálica, con las que se puede pintar, estampar o aplicar una boquilla, como se muestra en este caso.

materiales

- Bolso de viaje confeccionado
- Bote de tinte de agua fría
- Sobrecito de fijador de tinte frío
- 110 g de sal de cocina
- Cabujones rojos, amarillos, verdes y naranjas
- Pegamento para tela
- Pinturas para tela 3-D de varios colores
- Plumilla de 0,5 mm (n.° 5)

Tiñe el bolso del color que hayas elegido (ver página 16). Para obtener mejores resultados, plánchalo mientras esté húmedo. Coloca los cabujones al azar sobre el bolso evitando que dos del mismo color queden juntos. Pega los cabujones con una gota de pegamento para tela. Coloca la plumilla en el bote de pintura 3-D y dibuja los pétalos con un color que combine. Decora los pétalos con una o dos líneas cortas. Completa el dibujo utilizando los otros colores. Deja secar el bolso en horizontal durante 12 horas aproximadamente.

bolso con abalorios

Las técnicas de teñido, como el teñido con nudos o el método de batik, producen magníficos estampados en bolsos de algodón sencillos que después aún se pueden adornar más con bordados o abalorios. El producto que se ha utilizado para este bolso es específico de batik (tiene un efecto similar al de la cera caliente, pero es más fácil de usar). Puedes dibujar cualquier motivo en la bolsa; utiliza troqueles grandes para inspirarte, como este rizo.

materiales

- Bolsa de la compra confeccionada
- Tintes de agua fría de color rosa pálido y rosa intenso
- Sobrecitos de fijador de tinte frío
- 220 g de sal de cocina
- Troquel en espiral grande y hoja de papel
- Lápiz
- Tintes o anilinas para batik
- Plumilla de 0,5 mm (n.° 5) y bote
- Hilo de bordar de algodón rosa intenso, fucsia, naranja y naranja pálido
- 25 arandelas de cerámica aproximadamente

1 Puedes empezar con una bolsa blanca, pero para lograr un efecto más sutil, tíñela de rosa pálido (ver página 16). Cuando la bolsa esté seca, introduce un trozo de cartón en el interior para separar las capas. Troquela o recorta varias veces el motivo elegido y distribúyelo por el bolso. Marca ligeramente los motivos con un lápiz.

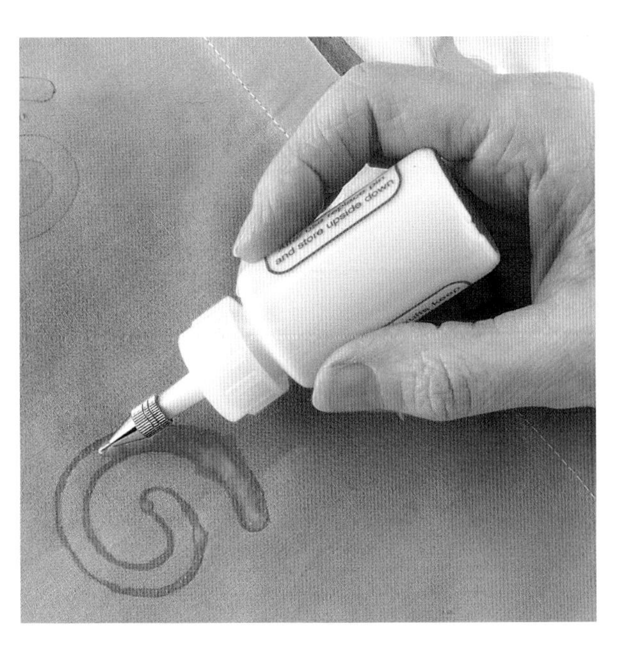

2 Puedes pintar con el tinte para batik o transferir el contenido a un frasco aplicador para mayor control. Agita bien el bote antes de usarlo y asegúrate de que penetra en la tela. Sigue las líneas y después rellénalas.

3 Deja secar el tinte durante varias horas y a continuación cubre con un paño y plancha cada zona dos minutos.

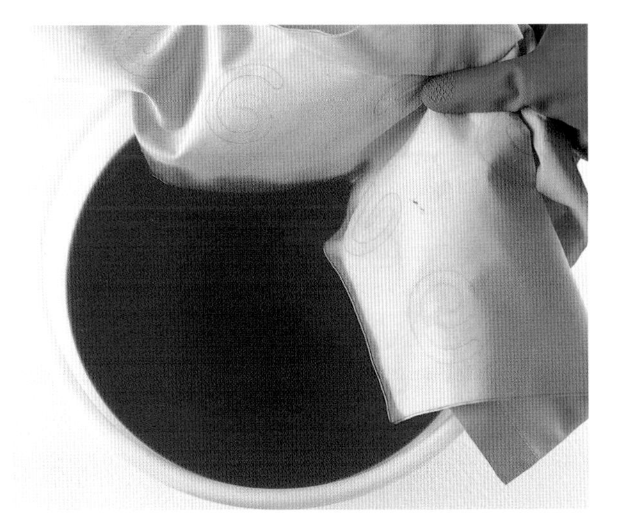

4 Ahora prepara un baño de tinte de color rosa intenso en un recipiente grande. Utilizando guantes de goma, mete la bolsa en el tinte y remueve suavemente de vez en cuando 30 minutos. Saca la bolsa y enjuágala en agua fría hasta que el agua salga clara. Lávala en agua caliente con detergente para eliminar el tinte para batik.

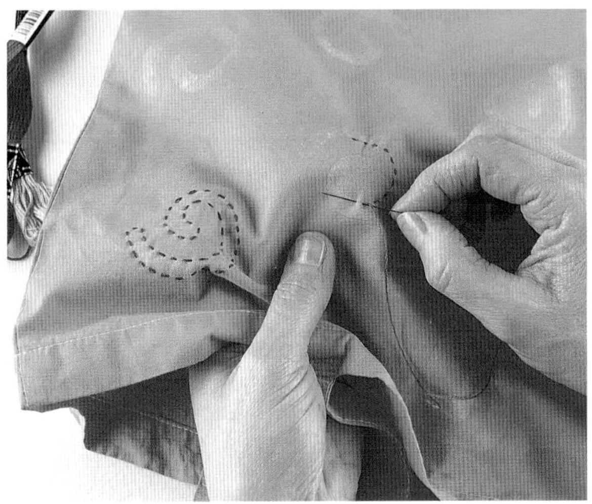

5 Realiza un bordado sencillo para adornar los motivos. Dos hebras de algodón y puntadas continuas que sigan las líneas marcadas a lápiz son muy efectivas. Puedes variar el color de los motivos para dar un aspecto más colorido. Para completar la bolsa, cose los abalorios entre los motivos con unas cuantas puntadas.

bolso para bodas

Este bolso de estilo tradicional se usaba en un principio para que las damas de honor llevaran confeti, pétalos de rosa o arroz que después lanzaban a los recién casados. Hecho con seda blanca o de color crema, con perlas a juego, este bolso es el accesorio ideal para cualquier novia. Las perlas también se pueden teñir en una amplia variedad de tonos pastel que combinen con el vestido de novia, o se pueden elegir abalorios plateados o de color gris claro para crear un bonito bolso de noche con bordados y perlas incrustadas.

materiales

45 x 45 cm de dupión de seda o seda salvaje
45 x 45 cm de entretela extrasuave termo-adhesiva
Lápiz
Hilo de bordar plateado y una aguja
50 abalorios en forma de perla de 3 mm, en gris y plateado
75 abalorios en forma de perla alargada de 6 mm, en gris y plateado
Tijeras de bordar pequeñas
50 cm de cinta o cordón plateado fino para el lazo
40 cm de cordón plateado mediano para el asa
45 x 45 cm de organza plateada para el forro

Los **márgenes para las costuras** son de 1,5 cm y el pespunte de la máquina de coser es recto.

1 Corta una pieza de seda salvaje plateada de 32 x 25 cm. Corta dos piezas de entretela, una debe medir 32 x 15 cm y la otra, 32 x 9 cm. Alineando los bordes inferiores de las telas, coloca la entretela más grande sobre la seda y después la pieza más pequeña sobre la más grande, como se muestra en la imagen. Plancha para fijarlas en su sitio. Para colocar los abalorios uniformemente, pero creando un dibujo hecho al azar, marca puntos en la entretela con un lápiz dejando 3 o 4 cm entre ellos. Los márgenes han de estar libres para la costura.

2 Utilizando una hebra doble de hilo de bordar plateado, saca la hebra por el primer punto, coge una perla redonda plateada y vuelve a introducir la aguja. Saca la aguja cerca de la perla, coge una perla alargada gris y vuelve a introducir la aguja por el extremo del abalorio. Cose otras cuatro perlas grises formando una flor. Da unas puntadas rectas entre los «pétalos» a partir de la perla central y que midan 6 mm. Variando los colores de las perlas, haz una flor de abalorios en cada punto.

3 En el espacio entre flores de perlas, cose una perla plateada redonda. Haz seis puntos margarita alrededor de ella (ver el diagrama de la página siguiente) con dos hebras de hilo de bordar plateado para hacer pequeñas flores bordadas. Realiza estas flores entre los espacios de las flores de perla, alternando los colores de la del centro. Finalmente, rellena los espacios de la tela bordada con perlas individuales grises o plateadas. Añade algunas sueltas por arriba, al azar, para suavizar el borde de abalorios.

punto de margarita

Lleva la aguja hacia arriba desde el punto A, forma un bucle y sujétalo con el pulgar. Baja la aguja, introdúcela de nuevo por el mismo punto de la tela (A) y sácala por el punto B.

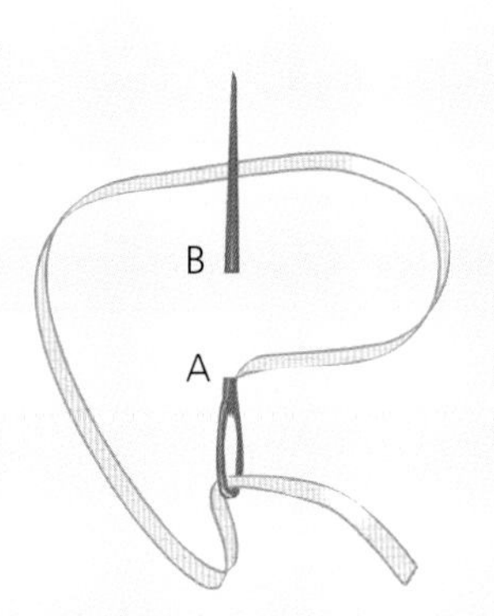

Da una pequeña puntada en el punto B para mantener el bucle en su sitio.

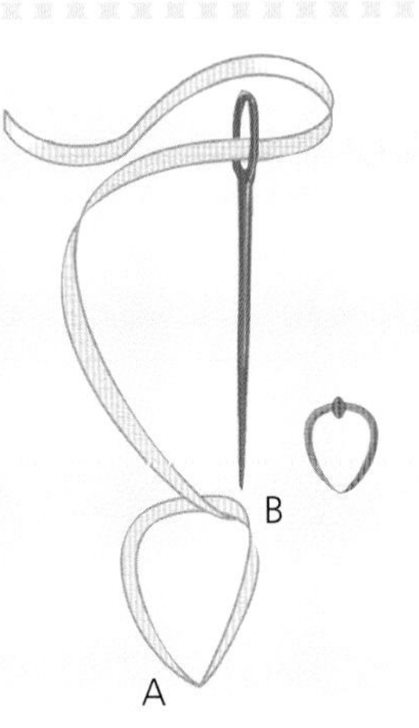

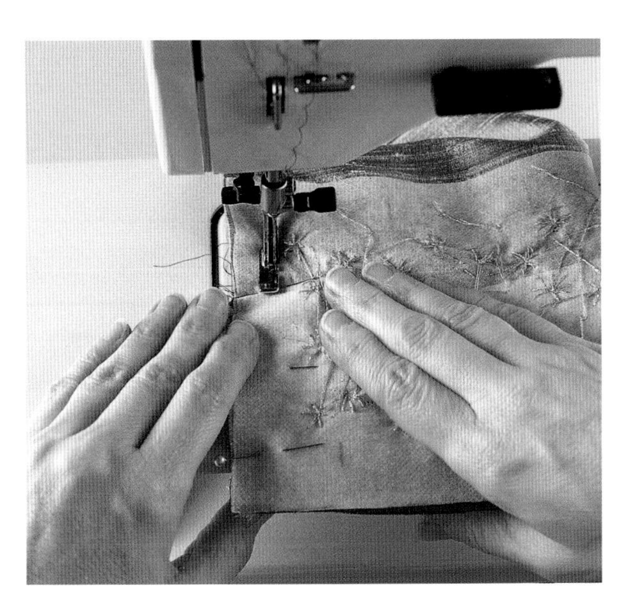

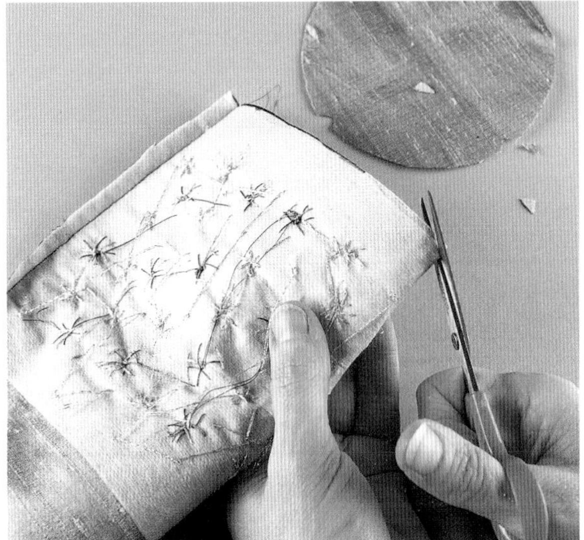

4 Antes de hacer los ojales, plancha un cuadrado de entretela de 3 x 3 cm por el revés de la tela, en el centro de la pieza y a 8 cm del borde superior. Por el derecho, en el centro del cuadrado de entretela, marca con un hilván la posición de dos ojales horizontales de 7 mm. Haz los dos ojales con la máquina de coser. Con unas tijeras de bordar pequeñas, haz un corte entre los puntos rellenos del ojal para abrirlos. A continuación ajusta el prensatelas de la máquina, de modo que puedas coser al lado de los abalorios. Dobla por la mitad la pieza de seda, a lo ancho, dejando las perlas por el interior y cose la costura por el revés. Plancha para abrir la costura.

5 Para hacer la base, plancha dos cuadrados de entretela de 12 x 12 cm, uno sobre otro, y por el revés de un cuadrado de dupión de seda plateada del mismo tamaño. Dibuja un círculo de 11 cm de diámetro en la entretela y recórtalo. Divide el círculo en cuatro partes haciendo pequeños cortes en el borde exterior, como se muestra en la imagen. Ahora dobla la pieza del bolso bordada en cuatro partes y marca el borde inferior con cortes iguales a los de la base circular. Sujeta el círculo a la base con alfileres, de modo que los cortes coincidan y a continuación hilvana. Recorta el margen para la costura del borde inferior de la pieza del bolso para permitir que la tela quede más plana en el círculo y después cose a máquina. Recorta la costura a 6 mm.

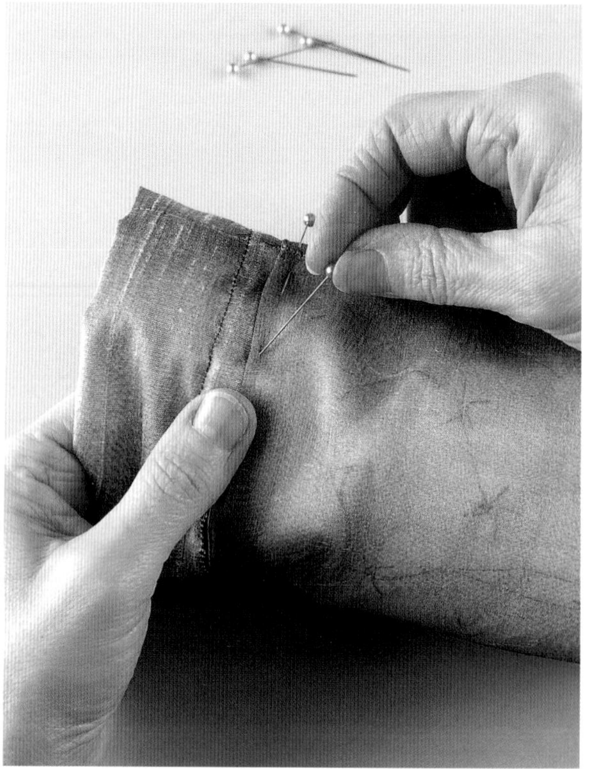

6 Dobla unos 5 cm alrededor de la parte superior del bolso. Para hacer la jareta, haz dos hileras de pespuntes a máquina a 7 mm de cada uno de los bordes de los ojales. Enhebra el cordón fino plateado o la cinta y pásalo por la jareta para hacer el lazo. Ahora cose los extremos del cordón plateado mediano a cada lado del bolso y por el interior para hacer el asa.

7 Para hacer un forro de organza de seda, corta una pieza de 32 x 17 cm y un círculo de 11 cm para la base. Cose la costura por el revés e inserta la base circular igual que antes (ver paso 5). Dale la vuelta al bolso, dobla por encima el borde superior del forro y entremete el interior del bolso. Haz puntadas invisibles para unir el forro a la jareta y dale la vuelta al bolso.

consejo

Utiliza una de las nuevas entretelas extrasuaves termo-adhesivas para la tela de seda porque, de esta manera, le dará un aspecto más suave que las entretelas tradicionales.

bolso de terciopelo

El velludillo arrugado o terciopelo tiene la excelente cualidad de resultar ideal para hacer un bolso de noche y, como es para una ocasión especial, merece la pena adornarlo por arriba. Para que resulte espectacular, se ha añadido un ribete de plumas de avestruz y bonitos flecos de abalorios. El rojo vivo resulta perfecto para combinarlo con un vestido negro, pero puedes hacer el bolso de cualquier color. Procura que el ribete de pluma, los abalorios y el terciopelo sean del mismo tono para darle un aspecto clásico.

materiales

- 60 x 25 cm de terciopelo o velludillo arrugado rojo
- 60 x 20 cm de entretela extrasuave termo-adhesiva
- Hilo de coser rojo
- 20 cm de ribete de plumas de avestruz
- Hilo de acolchar rojo
- Aguja para abalorios
- Abalorios: 2 tubos de cuentas rojas con forma de pepita, de tamaño 11
  - 1 tubo de cuentas rojas, de 6 mm, ovaladas planas
  - 1 tubo de cuentas rojas, de 6 mm, con forma de grano de arroz
  - 1 tubo de cuentas rojas, de 4 mm, con forma de gema
  - 1 tubo de cuentas rojas, de 3 mm, con forma de gota
- 60 x 20 cm de tafetán rojo para el forro

Los **márgenes para las costuras** son de 1,5 cm y el pespunte a máquina es recto.

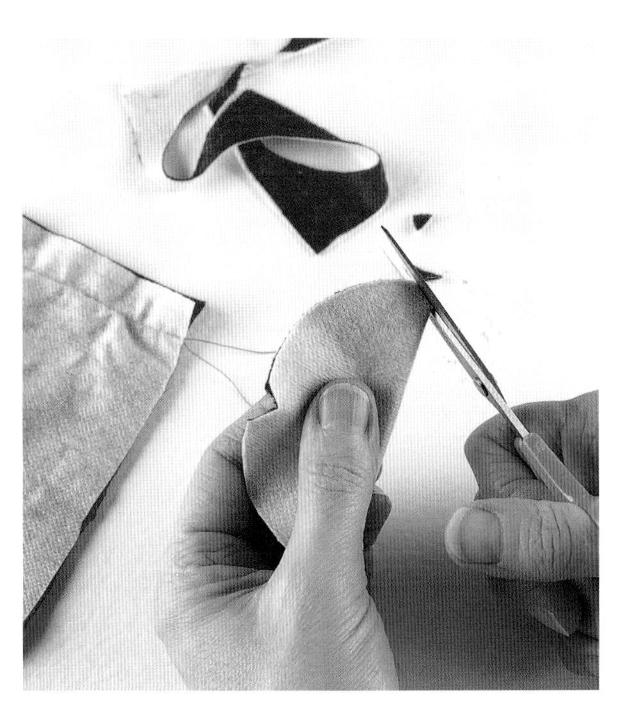

1 Plancha dos capas de entretela por el revés de un cuadrado de tela de velludillo rojo de 10 x 10 cm (si la entretela es más pesada, una capa será suficiente). Dibuja un círculo de 8 cm por el lado de la entretela y recórtalo. A continuación recorta una pieza de velludillo de 50 x 20 cm y plancha una capa de entretela del mismo tamaño por el revés de la tela. Dobla por la mitad a lo ancho, derecho contra derecho, y cose a máquina la costura. Divide el círculo en cuatro partes haciendo pequeños cortes en el borde exterior y, de la misma manera, haz cuatro marcas alrededor del borde inferior de la pieza tubular.

2 Cose a máquina dos hileras de pespuntes alrededor de los bordes superior e inferior del tubo de velludillo (ver «Técnicas», página 13). Para hacer esto, incrementa el tamaño del pespunte al 4 y cose a máquina a 12 mm del borde superior y después a 17 mm. Repite en el borde inferior. Tira ligeramente hacia arriba de los frunces alrededor del borde inferior y después, emparejando los cortes, sujeta con alfileres la base circular y el borde inferior del tubo para que la base quede en su sitio. Ajusta los frunces, de modo que quede un espacio uniforme entre ellos y acordona. Haz unos cortes en el margen de la costura inferior de la pieza del bolso para aplastar la tela y luego cose a máquina alrededor del borde del círculo, quitando los alfileres conforme avanzas. Tira de los hilos del frunce y después cose la costura en zigzag y recorta con cuidado.

consejo

Elige una de las nuevas entretelas extrasuaves termo-adhesivas que se estirarán ligeramente con el terciopelo, pero que le darán cuerpo suficiente para que el bolso mantenga su forma.

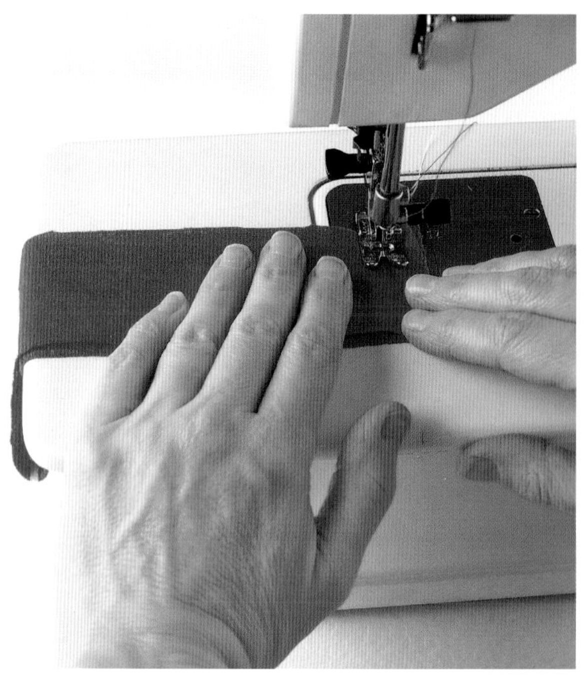

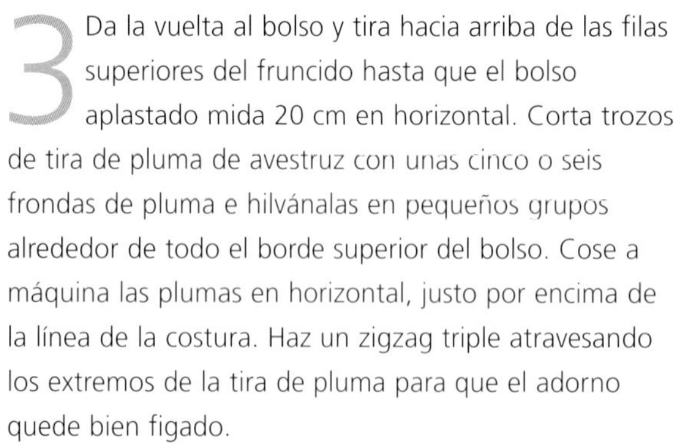

3 Da la vuelta al bolso y tira hacia arriba de las filas superiores del fruncido hasta que el bolso aplastado mida 20 cm en horizontal. Corta trozos de tira de pluma de avestruz con unas cinco o seis frondas de pluma e hilvánalas en pequeños grupos alrededor de todo el borde superior del bolso. Cose a máquina las plumas en horizontal, justo por encima de la línea de la costura. Haz un zigzag triple atravesando los extremos de la tira de pluma para que el adorno quede bien figado.

4 Para hacer el ribete, corta una tira de velludillo o terciopelo de 5 x 43 cm. Dóblala por la mitad a lo ancho, de modo que coincidan los lados del derecho. Cose la costura de atrás a máquina, a 2 cm, y haz pespuntes hacia atrás hasta llegar de nuevo al borde. Repite desde el otro borde para hacer el agujero por el que pasará la cinta del fruncido. Abre la costura presionando y déjala a un lado.

consejo

Es habitual que la tira de pluma de avestruz tenga un ribete de tela que deberías quitar antes de empezar a cortarla en trozos.

5 Enhebra una aguja con hebra doble de hilo para acolchar de color rojo. Saca la aguja por debajo del ribete por el derecho. Introduce tres cuentas en forma de pepita y una ovalada plana, tres pepitas y una en forma de grano de arroz, tres pepitas y una en forma de gema, tres pepitas y una en forma de gota. Sáltate la última cuenta pasando la aguja por la siguiente y retrocediendo en la hebra de cuentas. Cose una cuenta en forma de gema en la parte superior de la hebra. Continúa añadiendo flecos de cuentas alrededor del bolso dejando un espacio de 7 mm por debajo del ribete. Varía la cantidad de cuentas en forma de pepita o duplica la longitud de la hebra de vez en cuando.

6 Haciendo coincidir los derechos de la tela y la costura de atrás, prende con alfileres la tira de velludillo del paso 4 alrededor del borde superior del bolso. Cose a máquina y después recorta la costura a 1 cm. Dobla la tira por encima del borde superior del bolso y sujétela con alfileres. Cose a máquina todo alrededor, por el derecho y justo por debajo del ribete para que quede bien fijado.

7 Para hacer la tira del bolso, corta 2 m de hilo de acolchar rojo. Enhebra los dos y haz un nudo a 15 cm de los extremos uniendo las hebras. Introduce siete cuentas en forma de pepita y después una cuenta decorativa a tu elección. Repite hasta que la tira mida unos 50 cm de longitud y une las hebras con un nudo. Cose los extremos de la tira a los laterales del bolso. Prepara un forro de tafetán rojo de 20 x 43 cm y un círculo de 8 cm de diámetro. Mete el forro hasta dejar 1,5 cm alrededor del borde superior e hilvánalo al bolso. Prende con alfileres y después haz un dobladillo a máquina por el interior de la parte superior del bolso. Enhebra la cinta, pásala por la jareta y ata los extremos.

bolso de loneta

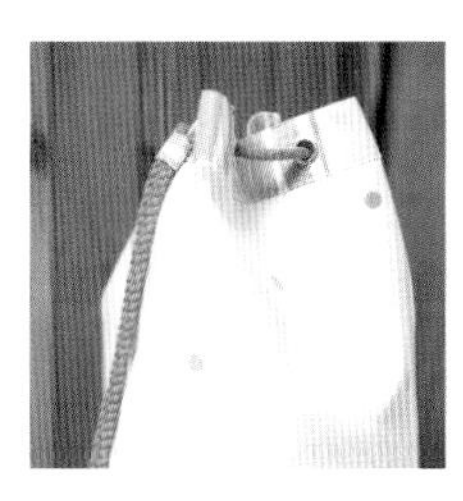

Los bolsos de loneta son ideales cuando utilizas el transporte público, ya que puedes ¡tener las manos libres para sujetarte! También son muy buenos si tienes que llevar cosas y necesitas agarrar de la mano a los niños o empujar un carrito de bebé. Este bolso se ha diseñado de forma inteligente con un forro con bolsillos para guardar las llaves, el móvil y otros objetos. El bolso debería soportar su propio peso, pero utiliza entretela para añadir cuerpo si se trata de una tela que pese poco.

materiales

1 m de tela de lunares de 152 cm de ancho
50 cm de tela a rayas de 152 cm de ancho
50 cm de entretela termo-adhesiva de peso medio (opcional)
2,5 m de cordón azul
8 ojetes plateados de 11 mm y engarce

Los **márgenes para las costuras** son de 1,5 cm y el pespunte de la máquina de coser es recto.

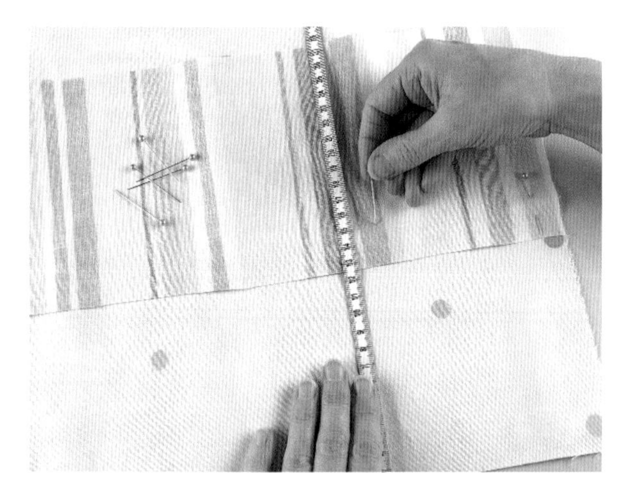

1 Corta una pieza de tela de lunares de 73 x 42 cm y, si es demasiado blanda, refuérzala con entretela termo-adhesiva. Corta una pieza de tela a rayas de 73 x 15 cm, de modo que las rayas queden en vertical. Sujeta con alfileres la tela a rayas y la de lunares, derecho contra derecho y a 12,5 cm del borde inferior de la tela de lunares. Cose a máquina una costura de 1,5 cm, dobla hacia abajo y plancha. Hilvana el borde inferior.

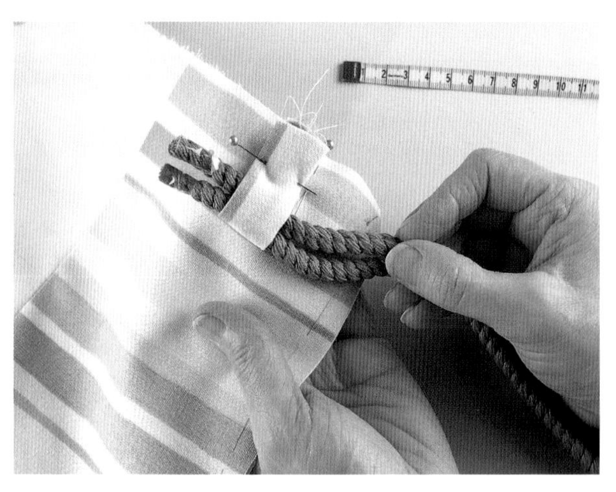

2 Corta dos tiras de tela a rayas de 6,5 x 10 cm, dobla cada una de ellas por la mitad, a lo largo, y cose a máquina a 6 mm del borde del corte. Dale la vuelta a las tiras y plánchalas. Para hacer la presilla inferior del cordón, dobla una tira por la mitad, a lo ancho, y sujétala con alfileres a 4,5 cm del borde inferior. Comprueba que el grosor de los dos cordones pasará por la presilla. Prende con alfileres la costura de atrás del bolso y cósela a máquina. Para hacer el pasador, dobla la segunda tira por la mitad, a lo ancho, y haz una costura por detrás. Dale la vuelta y abre la costura. Aplánala, de modo que quede en el centro y cose la línea de la costura.

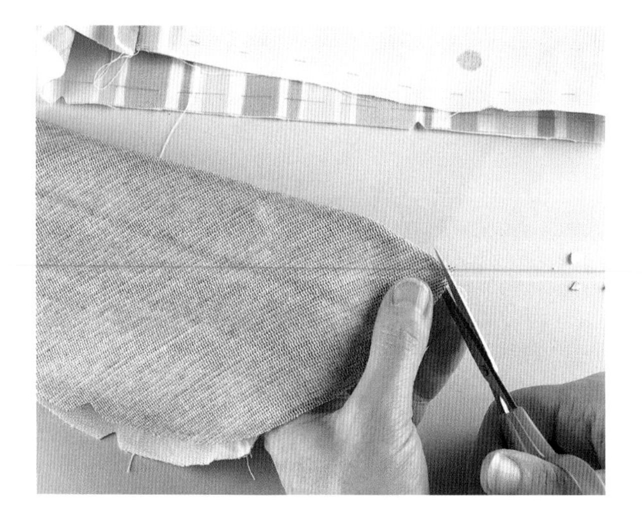

consejo

Si utilizas una tela con estampado en una dirección definida, préndela con alfileres colocando la parte de arriba hacia abajo en el paso 1 para que, al terminar, quede en la dirección correcta.

3 Corta un círculo de 25 cm en la tela de rayas y en la entretela. Divide el círculo en cuatro partes haciendo unos pequeños cortes en el borde exterior. Divide el borde inferior del bolso de la misma manera y después sujeta con alfileres la base al bolso, haciendo coincidir los cortes. Hilvana la base y después cósela a máquina. Recorta la costura a 6 mm y sobrehíla en cadeneta o en zigzag.

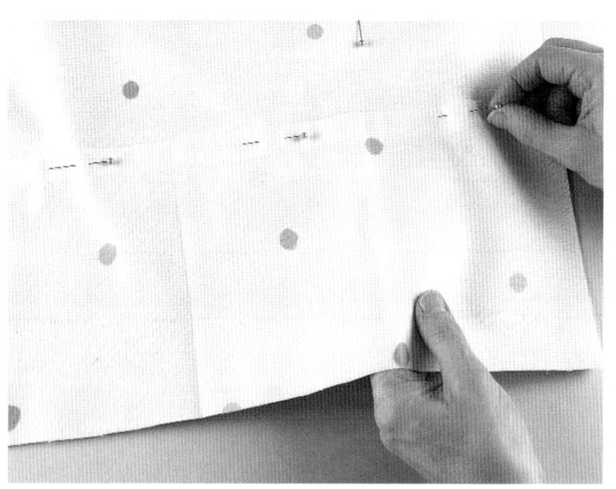

4 Para hacer el ribete superior, corta una tira de tela a rayas de 73 x 11 cm, de modo que las rayas queden en vertical. Dóblala por la mitad, a lo ancho, cose la costura a máquina y plancha para abrirla. Colócala sobre el bolso uniendo las caras de las telas, de modo que la de rayas se encuentre a 2,5 cm del borde superior y coincidan las costuras de la parte de atrás. Cose a máquina a 1,5 cm de la parte superior de la tira de rayas. Dobla la tela por encima de la parte superior del bolso y plánchala. Dobla hacia abajo 1,5 cm alrededor de todo el borde superior y plancha.

5 Para hacer el bolsillo interior, corta una pieza de tela de lunares de 73 x 20 cm. Dale la vuelta y cose un dobladillo doble a máquina de 1,5 cm a lo largo del borde. Dobla la pieza del bolsillo a lo ancho formando seis partes iguales y plánchalas para marcarlas. Sujeta este bolsillo con alfileres por el derecho y a lo largo de la parte inferior de la pieza de tela de lunares de 73 x 42 cm. Cose a máquina el bolsillo sobre las líneas marcadas. Cose la costura de atrás e inserta un círculo de 25 cm para la base a fin de terminar el forro. Mete el forro dentro del bolso y sujétalo con alfileres. Cose a máquina alrededor del borde superior y cerca de la parte inferior de la pieza de rayas. Dale la vuelta, dobla 1,5 cm y plancha; a continuación dobla la tela a rayas sobre el borde superior del bolso. Hilvana y después cose a máquina alrededor de los bordes superior e inferior de la tira de tela a rayas.

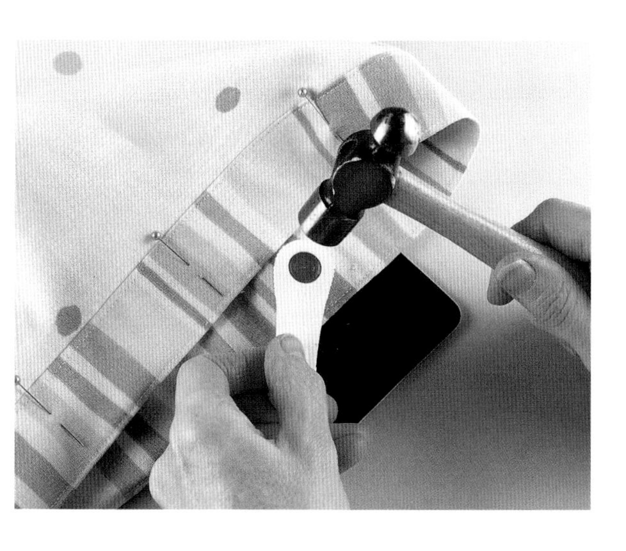

6 Marca con alfileres la posición de los ojetes: alrededor del borde superior del bolso y en el centro de la pieza de rayas. Espacia los ojetes de un modo uniforme, deja una separación de unos 8 o 9 cm; empieza con dos ojetes a 4 cm de distancia desde cada uno de los lados de la costura de atrás. Inserta los ojetes siguiendo las instrucciones del fabricante. Pasa el cordón por ellos todo alrededor, desde un lado de la costura de atrás hasta llegar al último agujero. Pasa los extremos por el pasador que has hecho en el paso 2 y después por la anilla inferior. Comprueba la longitud del cordón para que el bolso pueda abrirse por completo y asegúralo con un nudo.

bolso de organza

Para crear el diseño de este pequeño y delicado bolso, se ha empleado una combinación de aplicaciones, bordados y abalorios. Está hecho en tonos de contraste de organza y realizado con costura francesa, de modo que no hay bordes sin rematar. Este bolso es muy fácil de hacer y las aplicaciones son tan sencillas, que podrías crear tus propios motivos para realizar un diseño único. Utiliza colores pastel y blanco o crema para crear bolsos espectaculares para damas de honor o incluso para novia.

materiales

32 x 30 cm de organza de color bronce metalizado
32 x 70 cm de organza rosa
Lápiz
Tejido adhesivo fundible
Hilo de algodón rosa pálido y color bronce
4 perlas ovaladas

Los **márgenes para las costuras** son de 1,5 cm y el pespunte de la máquina de coser es recto.

1 Corta dos piezas de organza de cada color de un tamaño de 16 x 20 cm y deja aparte una de cada color. Coloca las otras dos una encima de la otra, haciendo coincidir los derechos de la tela y haz un pespunte a máquina en uno de los bordes largos para hacer la costura. Plancha la costura hacia la tela más oscura y recórtala a 6 mm. Repite el proceso con las otras dos telas para hacer una segunda pieza. Fotocopia la plantilla que se incluye en la página 88. Coloca una de las piezas sobre la plantilla, con el lado derecho hacia arriba, y de modo que la costura se encuentre al mismo nivel de la línea horizontal central y la parte de tela de color bronce quede situada por debajo de la línea. Calca los motivos de los tallos sobre la tela con un lápiz de forma suave.

2 Dibuja las hojas en el tejido adhesivo fundible y plánchalas sobre trozos de organza de color bronce. Después de haber hecho esto recorta las hojas. Ahora dibuja los cuadrados en el tejido adhesivo y plánchalos sobre trozos de organza rosa; luego recorta los cuadrados, como has hecho con las hojas anteriormente. Plancha una segunda pieza de organza rosa por el revés de los cuadrados, de modo que se vean a través de la tela más oscura. Cuando hayas recortado todas las formas, despega el papel de detrás y pégalas en su sitio por el derecho de la pieza marcada. Cubre la zona con un trozo de papel vegetal no adherente para proteger el planchado que las fijará en su sitio de forma definitiva. Llegados a este punto, ya tienes preparada la tela y los motivos para empezar a bordar unos detalles.

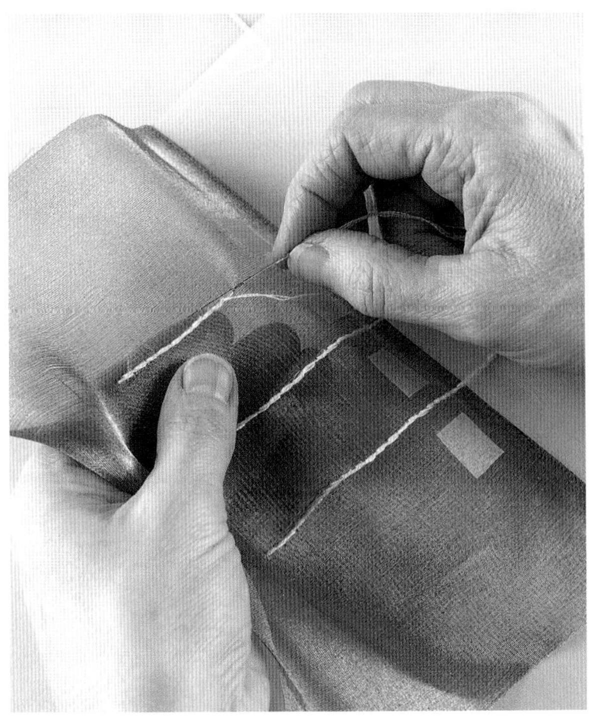

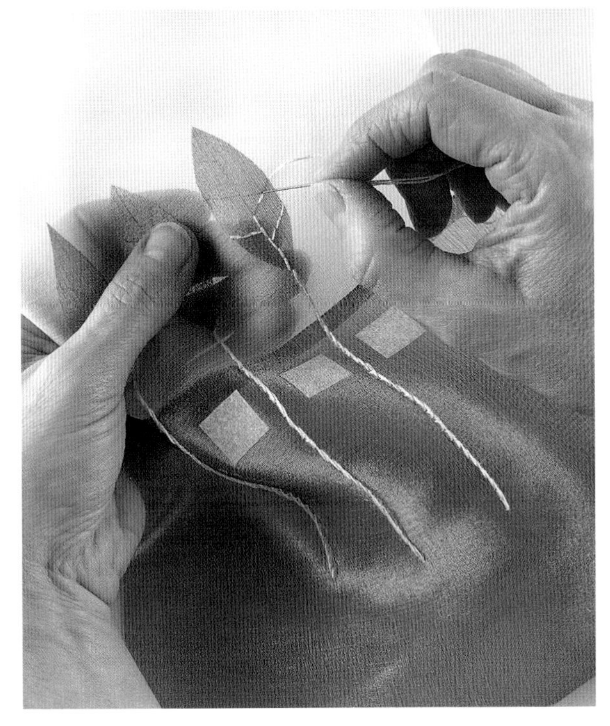

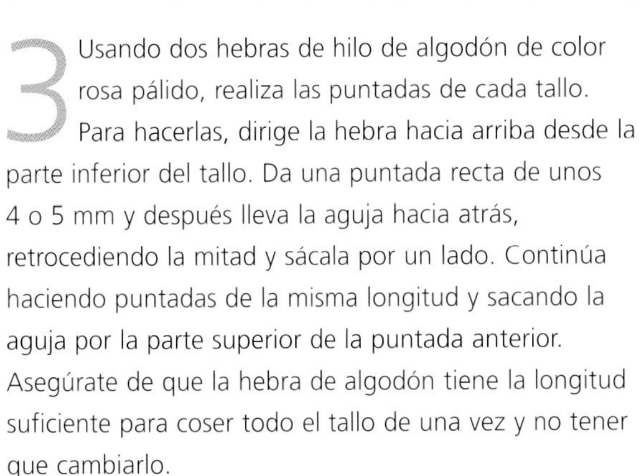

3 Usando dos hebras de hilo de algodón de color rosa pálido, realiza las puntadas de cada tallo. Para hacerlas, dirige la hebra hacia arriba desde la parte inferior del tallo. Da una puntada recta de unos 4 o 5 mm y después lleva la aguja hacia atrás, retrocediendo la mitad y sácala por un lado. Continúa haciendo puntadas de la misma longitud y sacando la aguja por la parte superior de la puntada anterior. Asegúrate de que la hebra de algodón tiene la longitud suficiente para coser todo el tallo de una vez y no tener que cambiarlo.

4 El bordado que falta por hacer se trabaja combinando punto atrás y punto lineal doble que parecen iguales por el derecho. Con el punto lineal doble haces una línea de puntadas continuas y después regresas para rellenar los espacios y formar una línea continua. Con el punto atrás trabajas la línea a medida que avanzas, das una puntada hacia delante y luego llevas la aguja hacia atrás pasando por la parte superior de la puntada anterior. Haz los nervios de las hojas con puntadas lineales dobles, y las hojas y los cuadrados con punto atrás.

consejo

Cuando bordes en tela transparente, evita cruzar la hebra por detrás y trabaja siempre siguiendo la línea de la puntada anterior.

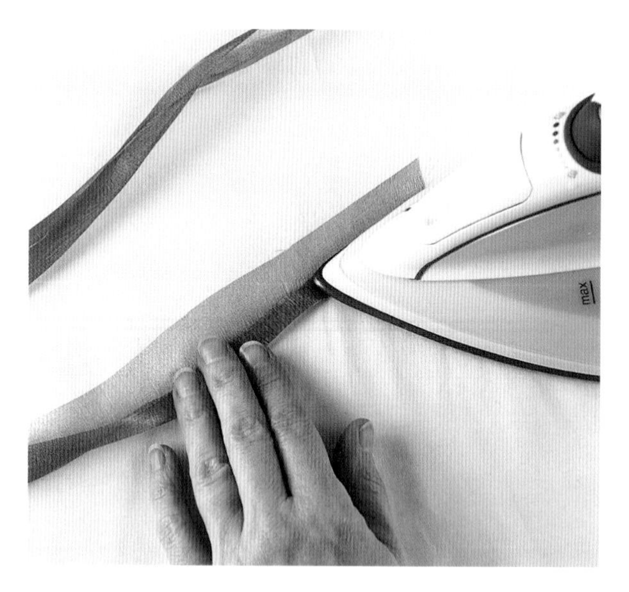

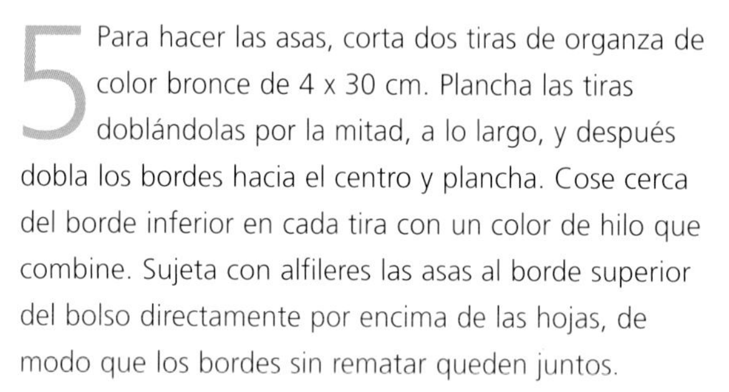

5 Para hacer las asas, corta dos tiras de organza de color bronce de 4 x 30 cm. Plancha las tiras doblándolas por la mitad, a lo largo, y después dobla los bordes hacia el centro y plancha. Cose cerca del borde inferior en cada tira con un color de hilo que combine. Sujeta con alfileres las asas al borde superior del bolso directamente por encima de las hojas, de modo que los bordes sin rematar queden juntos.

6 Corta dos piezas de organza rosa de 18 x 23 cm y sujeta con alfileres estas piezas de forro y las del bolso, por el derecho de la tela. Recórtalas para hacerlas del mismo tamaño. Cose a máquina cruzando la parte superior de las piezas, recorta la costura a 6 mm, dobla por encima y plancha.

7 Para hacer la costura francesa, sujeta con alfileres las dos piezas de bolso con el derecho de la tela hacia el exterior. Haz un pespunte de 7 mm a lo largo de los laterales y de la parte inferior. Recorta las costuras a 3 mm y recorta las esquinas en diagonal. Dale la vuelta al bolso y plancha. Cose a máquina una costura de 6 mm a lo largo de los laterales y de la parte inferior, y después vuelve a darle la vuelta al bolso y plancha. Para terminar, cose un perla ovalada en el centro de cada cuadrado.

bolsa con presillas

Todo el mundo tiene al menos una bolsa normal de la compra en casa, que, sin duda, es la más útil. Este sensacional diseño no es más que una bolsa de la compra a la que se ha añadido una presilla a cada lado para darle una forma más atractiva. La tela estampada de lunares es la elección ideal, ya que se complementa con los botones forrados, pero valdría otro tipo de tela. Si prefieres una bolsa con asas largas para llevarla colgada del hombro, mide la longitud necesaria y corta la tira un poco más larga.

materiales

50 cm de tela de lunares azul de 142 cm de ancho
50 cm de lino blanco de 90 cm de ancho para el forro
Aguja de hacer punto o mandril
2 botones forrados de 19 mm

Los **márgenes para las costuras** son de 1,5 cm y el pespunte a máquina es recto.

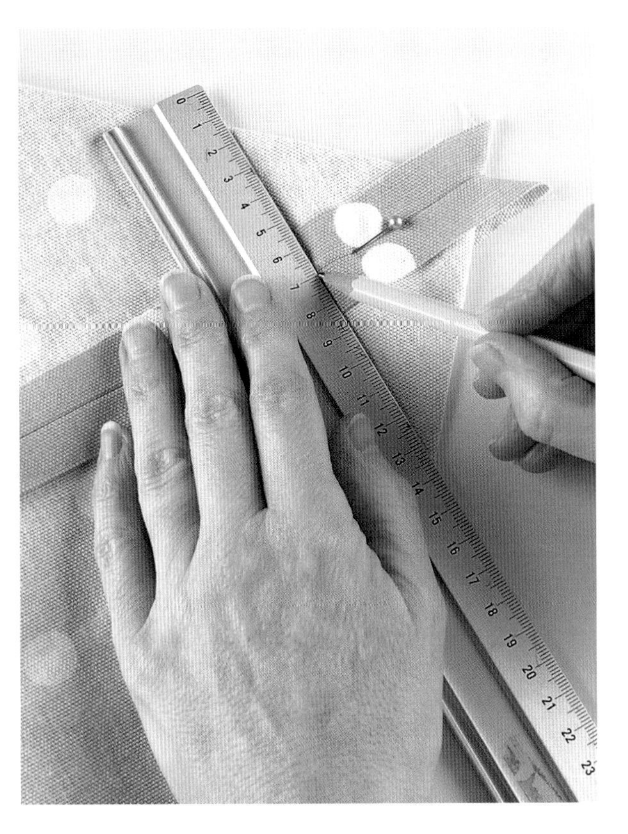

1 Corta dos piezas de 45 x 46 cm de tela de lunares azul. Uniéndolas a los derechos de la tela, cose a máquina los laterales y la parte inferior, y plancha para abrir las costuras. Para dar forma a la bolsa, abre la esquina inferior, alinea la costura inferior y la lateral, y prende un alfiler en las dos costuras. Mide 6 cm desde la punta y dibuja una línea a lápiz perpendicular a la costura. Cose a máquina a lo largo de la línea, da unas puntadas hacia atrás en cada extremo para reforzar. Repite en la otra esquina y después dale la vuelta a la bolsa.

consejo

Para dar más estabilidad a la bolsa, podrías hacer una base de cartón duro o acrílico para colocarla en el fondo de la bolsa antes de ajustar el forro.

2 Para hacer los enrollados de tela que formarán las presillas laterales, corta dos tiras de lino blanco de 5 x 50 cm. Dobla cada una por la mitad, a lo largo, y cose a máquina por el centro de las tiras dobladas y cruzando uno de los extremos. Dale la vuelta a las tiras con la ayuda de una aguja de hacer punto o de un mandril (ver «Técnicas», página 15). Tira de los márgenes de la costura interior desde cada uno de los extremos para enderezar y plancha la costura hacia abajo y hacia un lado.

3 Dobla por la mitad, a lo ancho, los dos enrollados de tela del paso 2, extiende para formar una punta y plancha. Cose a máquina cruzando la base del triángulo para asegurar. Para hacer un ojal, da unos pespuntes a máquina hacia delante y hacia atrás varias veces cruzando el enrollado a 2,5 cm de la puntada anterior. Dobla los extremos de las presillas laterales hasta que midan 20 cm desde el pliegue a la punta. Mide 13,5 cm desde las costuras laterales, por ambos lados del bolso, y marca con un alfiler. Mide hacia abajo otros 11,5 cm y pon un alfiler en los extremos doblados en estas marcas por la parte posterior del bolso. Cose a máquina un cuadrado, pasando por encima del cosido una segunda vez para reforzar.

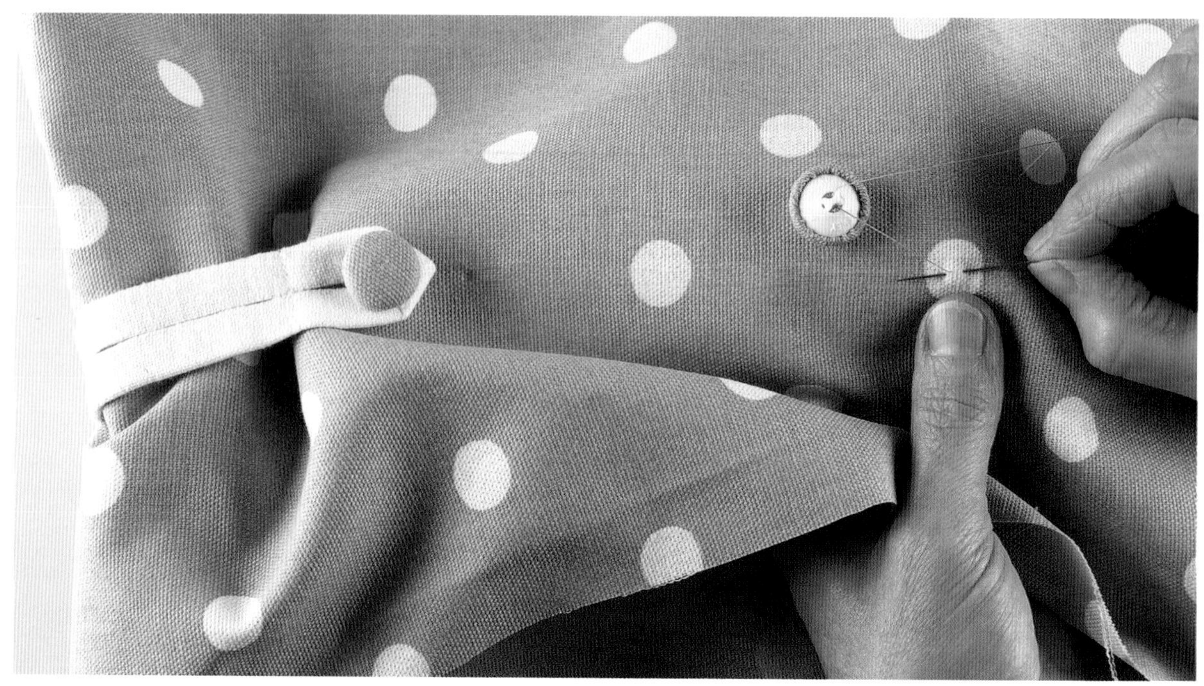

consejo

Ten cuidado a la hora de cortar las piezas de la bolsa en la tela de lunares. Los lunares deben quedar ordenados y emparejados donde sea posible.

4 Mide 8 cm desde el extremo doblado de las presillas laterales y prende un alfiler en este punto hacia la costura lateral, a 11,5 cm del borde superior. Cose hacia arriba y hacia abajo la costura lateral para asegurarla. Siguiendo las instrucciones del fabricante, forra los dos botones de tela azul. Cose los botones en las marcas del alfiler en la parte delantera del bolso y abrocha las presillas laterales.

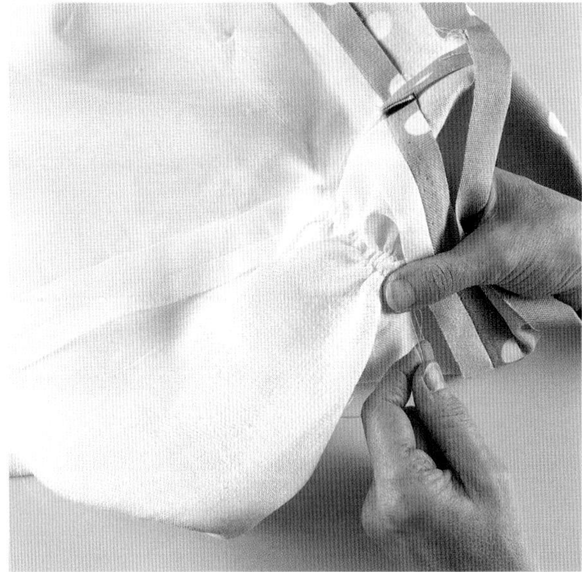

5 Para hacer las asas, corta dos tiras de tela azul de lunares de 6 x 45 cm. Dobla cada una por la mitad, a lo largo, enfrentando el derecho de la tela, y haz una costura a máquina dejando un margen de 6 mm y cruzando un extremo. Da la vuelta a las tiras con la ayuda de una aguja de hacer punto o un mandril. Plánchalas dejando la costura en un lado. Mide 13,5 cm a partir de las costuras laterales de la bolsa, por ambos lados, y marca con un alfiler. Sujeta con alfileres las tiras a la parte superior uniendo los bordes sin rematar.

6 Para hacer el forro, corta dos tiras de 10 x 45 cm de tela azul de lunares y dos piezas de lino blanco de 38 x 45 cm. Une la tela de lunares al lino blanco con una costura a máquina para formar dos piezas y plancha para abrir las costuras. Deja un espacio en una costura lateral para darle la vuelta; compón el forro de la misma manera que la bolsa en el paso 1. Marca los puntos de la presilla con alfileres y haz dos hileras de frunces entre las marcas. Tira de los frunces hasta que mida 20 cm y ata por el revés para asegurar.

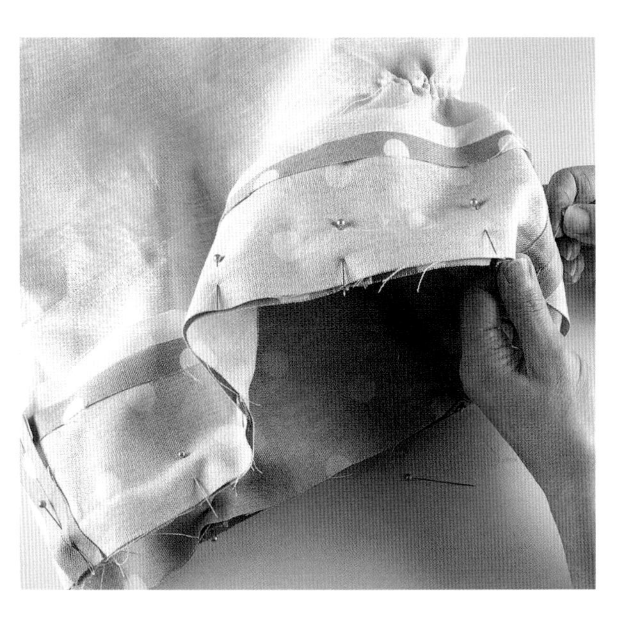

7 Uniendo los derechos de las telas, sujeta con alfileres la tira de tela de lunares del paso 6 y el forro de lino blanco. A su vez sujeta este con alfileres alrededor del borde superior de la bolsa y cose a máquina. Da la vuelta a la bolsa y haz puntadas invisibles para cerrar el espacio. Plancha la costura superior.

bolso de asas largas

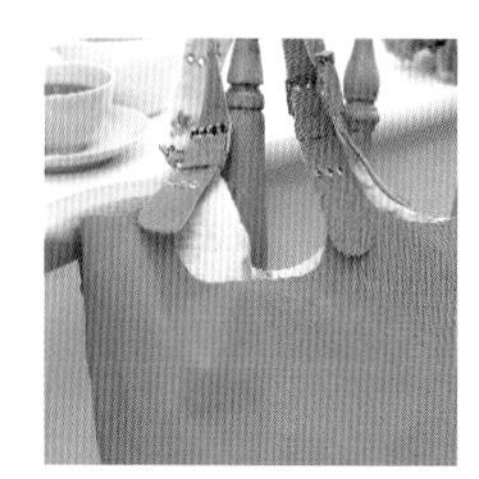

Para hacer este magnífico bolso, elige una tela lisa, estilo loneta, y una tela de peso ligero con un estampado a juego para el forro. Es muy fácil de hacer y el éxito radica en hacer dos capas exactamente del mismo tamaño, por tanto, tendrás que tener cuidado a la hora de marcar los márgenes de las costuras y de recortar. Si no encuentras hebillas de este tamaño, adapta a las tuyas la anchura de las correas del bolso.

materiales

- 50 cm de loneta rosa intenso de 142 cm de ancho
- 50 cm de tela color crema de 142 cm de ancho con un estampado de flores rosas para el forro
- 4 hebillas plateadas de 32 mm
- 15 cm de tejido adhesivo fundible
- 36 ojetes plateados de 4 mm

Los **márgenes para las costuras** son de 1,5 cm y el pespunte de la máquina de coser es recto.

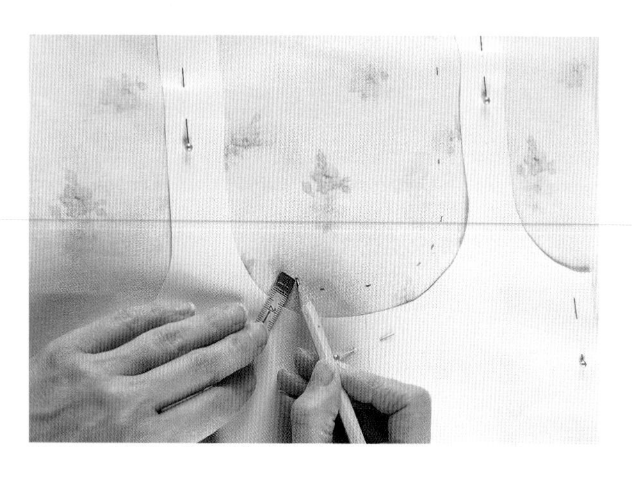

1 Fotocopia y recorta la plantilla del bolso de la página 89 y corta dos piezas de tela de cada color. Para el escudete, corta una tira de 12 x 104 cm de cada color. Como en el diseño de este bolso es importante que los márgenes de las costuras sean exactos, mide y marca los márgenes con un lápiz antes de recortar (ver «Técnicas», páginas 10-11). En este caso, lograrás resultados más exactos añadiendo el margen de la costura a la tela, como se muestra en la imagen.

2 Haciendo coincidir el derecho de la tela, sujeta con alfileres el escudete de loneta rosa alrededor de los laterales de una de las piezas rosas del bolso. Haz unos cortes con tijera de 1 cm de longitud en el margen de la costura del escudete para ayudar a la tela a doblarse alrededor de las formas curvas. Si es necesario, recorta el escudete para que quede al mismo nivel de la parte superior del bolso. Cose a máquina la costura y después sujeta con alfileres, y cose la segunda pieza de loneta rosa por el otro lado. Compón el forro de la misma manera utilizando la tela de flores rosa; deja un espacio en el borde inferior de una costura para darle la vuelta. Plancha para abrir las costuras y recorta a 6 mm.

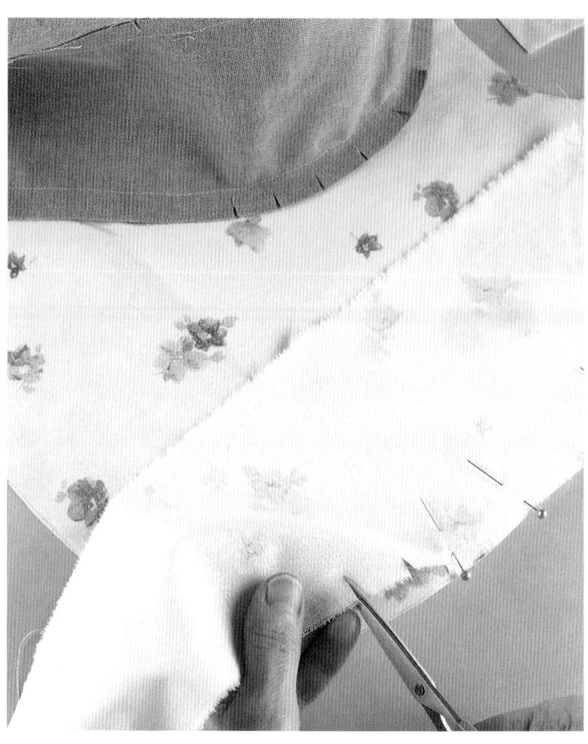

consejo

Haz unos cortes en las curvas de las esquinas del forro y en las piezas del bolso antes de unirlas para asegurar un ajuste perfecto.

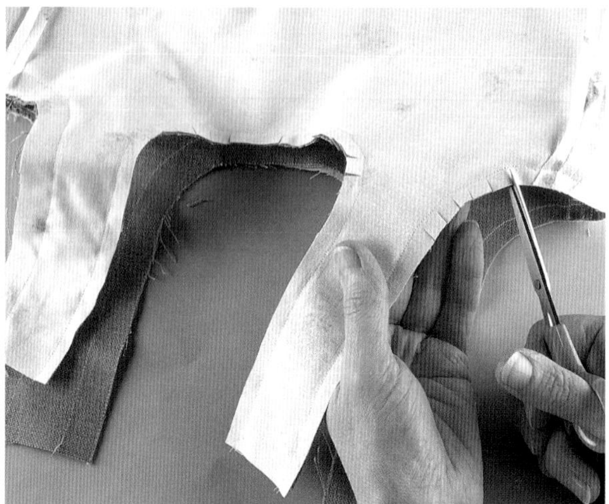

3 Haciendo coincidir el derecho de las telas, mete el bolso en el interior del forro. Empareja las costuras y une las dos capas con alfileres. Mide las secciones de la correa y marca los márgenes para las costuras (el espacio entre las costuras debería tener 2 mm más de anchura que la medida interior de la hebilla). Cose a máquina las costuras todo alrededor y deja abierta la parte superior.

4 Recorta las costuras a 6 mm. Haz unos cortes de 7 mm alrededor de los bordes en curva. Para hacer las presillas de la correa, corta cuatro trozos de loneta rosa de 3 x 10 cm y tejido termo-adhesivo en el reverso de cada pieza. Dobla a lo ancho, derecho contra derecho, y cose a máquina la costura. Recorta la costura y plancha con cuidado para abrirla. Dobla hacia el centro los bordes exteriores sin rematar y plancha para asegurar. Da la vuelta a las presillas y déjalas a un lado.

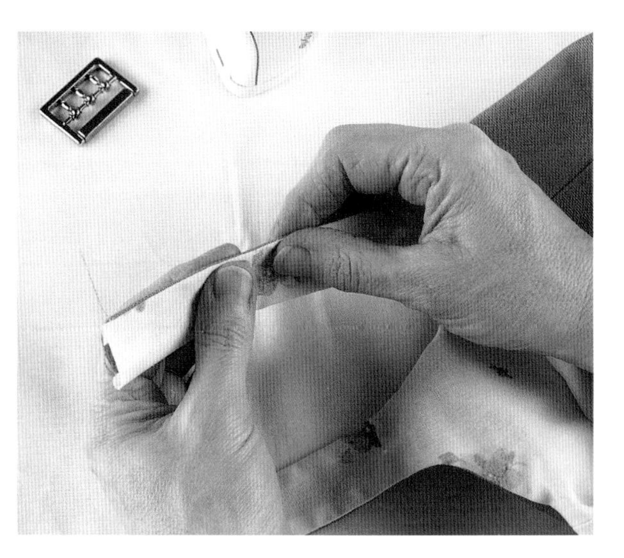

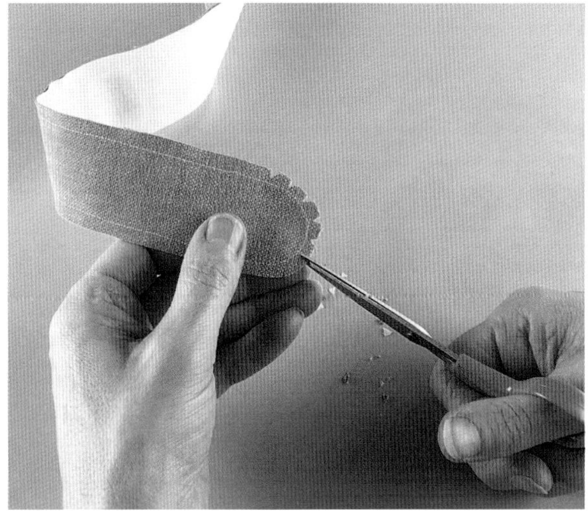

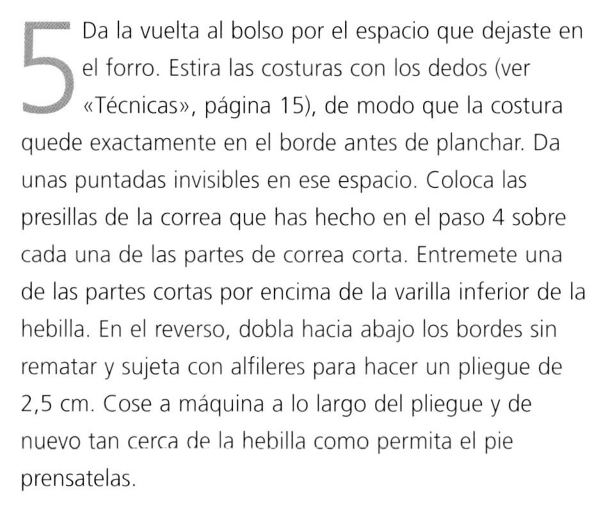

5 Da la vuelta al bolso por el espacio que dejaste en el forro. Estira las costuras con los dedos (ver «Técnicas», página 15), de modo que la costura quede exactamente en el borde antes de planchar. Da unas puntadas invisibles en ese espacio. Coloca las presillas de la correa que has hecho en el paso 4 sobre cada una de las partes de correa corta. Entremete una de las partes cortas por encima de la varilla inferior de la hebilla. En el reverso, dobla hacia abajo los bordes sin rematar y sujeta con alfileres para hacer un pliegue de 2,5 cm. Cose a máquina a lo largo del pliegue y de nuevo tan cerca de la hebilla como permita el pie prensatelas.

6 Para las correas, corta dos tiras de 6,5 x 7,5 cm, una de cada color. Uniendo las caras de la tela, sujeta con alfileres la loneta rosa y la tela de flores, y dibuja una curva en cada extremo. Para asegurarte de que las correas tienen la anchura correcta para la hebilla, puedes medir y marcar líneas de costura con un lápiz y una regla. Añade 2 mm a la medida interior de la hebilla. Cose la correa a lo largo y rodeando las curvas, dejando un espacio sin coser para darle la vuelta. Recorta las costuras a 6 mm y después tijeretea los extremos curvos, como se muestra en la imagen. Dale la vuelta a la correa, estira las costuras y plancha con cuidado. Cierra el espacio con puntadas invisibles. Haz una segunda correa de la misma manera.

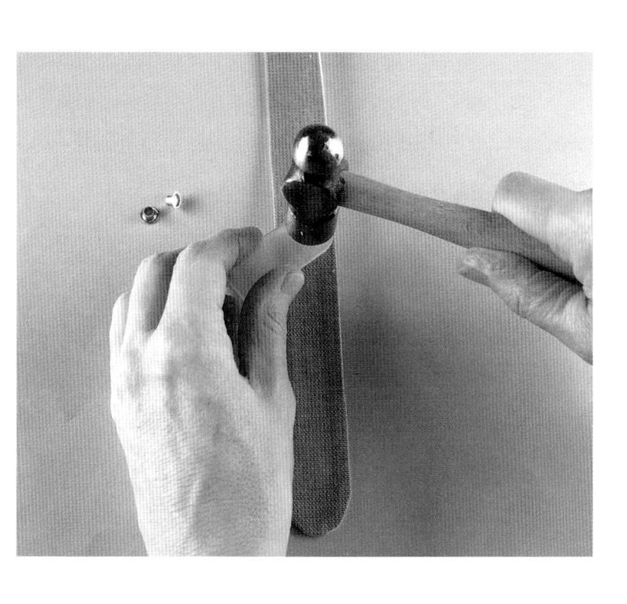

7 La cantidad de ojetes dependerá del número de dientes de la hebilla. Para una hebilla de tres dientes, marca la posición del primer grupo de ojetes a unos 14 cm del extremo de la correa. Siguiendo las instrucciones del fabricante, perfora tres agujeros en la correa, en fila y en horizontal, e inserta los ojetes para encajar los dientes de las hebillas. Inserta una fila de tres ojetes por encima y otra por debajo, a 7,5 cm de la primera fila, a modo de decoración. Finalmente, mete las correas por las hebillas y abróchalas en la fila de ojetes del centro. Mete los extremos de las correas por las presillas.

bolso adornado

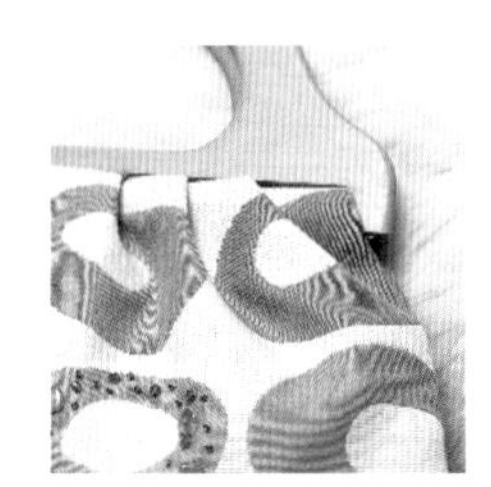

Algunas veces, cuando sales de compras, encuentras en una *boutique* o en una tienda de segunda mano un bolso barato ya confeccionado. Es posible que el bolso no esté confeccionado con una tela atractiva, o puede que no sea del color apropiado, pero suele valer la pena comprarlo solo por las asas. Estas bonitas asas de madera se encontraron de ese modo y se ha rediseñado el bolso para darle un aspecto más actual. Adórnalo con abalorios, un broche o flores de seda.

materiales

- 41 x 48 cm de textil estampado para hogar, de peso medio
- 12 mm de cinta adhesiva de dos caras
- 2 asas de madera con una ranura de 21,5 cm
- Hilo de coser y aguja fina
- Surtido de abalorios de colores
- 50 x 50 cm de poliéster azul para el forro

Los **márgenes para las costuras** son de 1,5 cm y el pespunte de la máquina de coser es recto.

consejo

Si eliges una tela de peso ligero, plancha una entretela pesada o gruesa por el reverso antes de componer el bolso para que pueda mantener su forma.

1 Coloca la pieza de tela estampada con el derecho hacia arriba. Para marcar la posición de los pliegues de la parte superior del bolso, mide y marca con alfileres los puntos siguientes: partiendo de los extremos de un borde corto, prende un alfiler a 5 cm de los bordes, después a 3 cm, a 2 cm, a 3 cm, a 2 cm y a 3 cm, y deja un espacio de 5 cm en el centro. Dobla la pieza del bolso por la mitad, a lo ancho, y haz un corte de 6 mm en las dos capas, en cada uno de los alfileres. Quita los alfileres y desdobla.

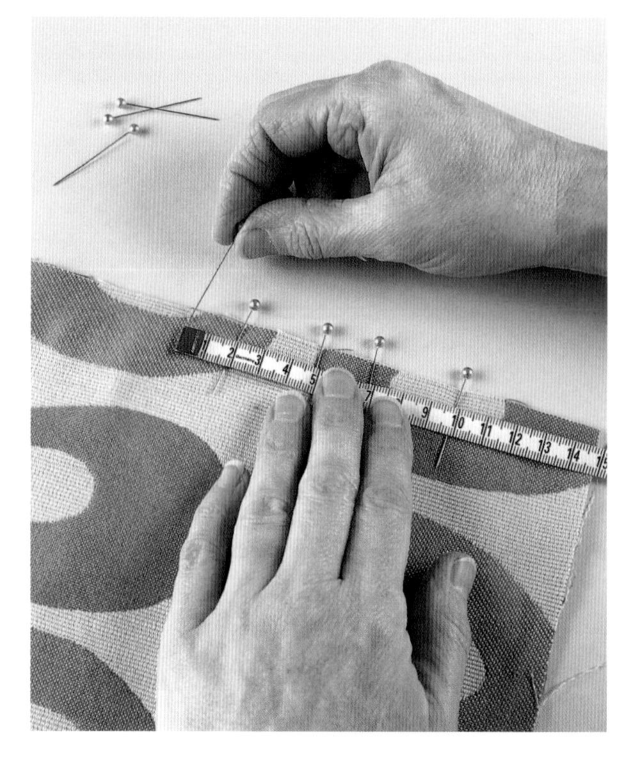

consejo

Podrías hacer un bolso más grande añadiendo 20 cm a la longitud de la tela y componiéndolo de la misma manera.

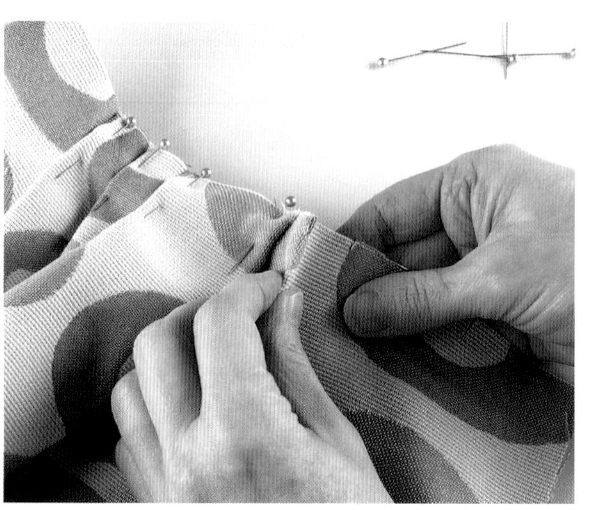

2 Ahora haz los pliegues. Empezando desde el espacio central de 5 cm y hacia uno de los lados, haz una pinza en la tela, de modo que coincidan dos cortes contiguos, colocando uno encima de otro; sujeta con un alfiler. Deja un espacio, haz otra pinza y sujeta con un alfiler; después deja un espacio y forma una tercera pinza que también sujetarás con un alfiler. Repite en el otro lado y después pliega el otro extremo de la pieza del bolso para combinar.

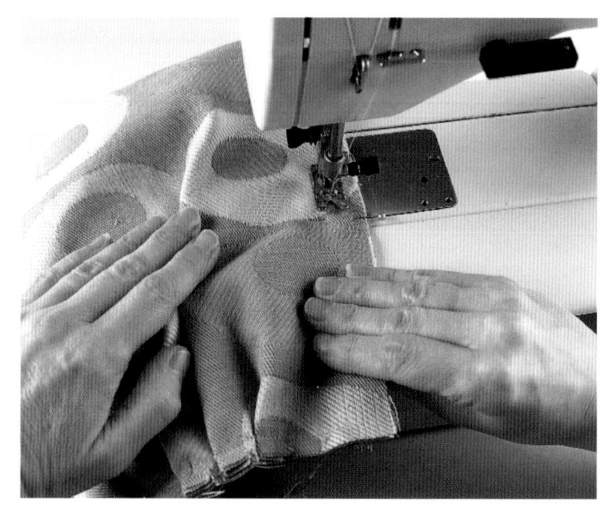

3 Cose a máquina las pinzas, a 7 mm del borde sin rematar; ve quitando los alfileres conforme avanzas. Dobla el bolso derecho contra derecho y sujeta con alfileres las costuras laterales. Cose 12 cm hacia arriba desde el pliegue y, en cada lado, para reforzar, da unos pespuntes hacia atrás en la parte superior de la costura. Plancha las costuras y los márgenes de las costuras en ambos lados, hasta que queden iguales.

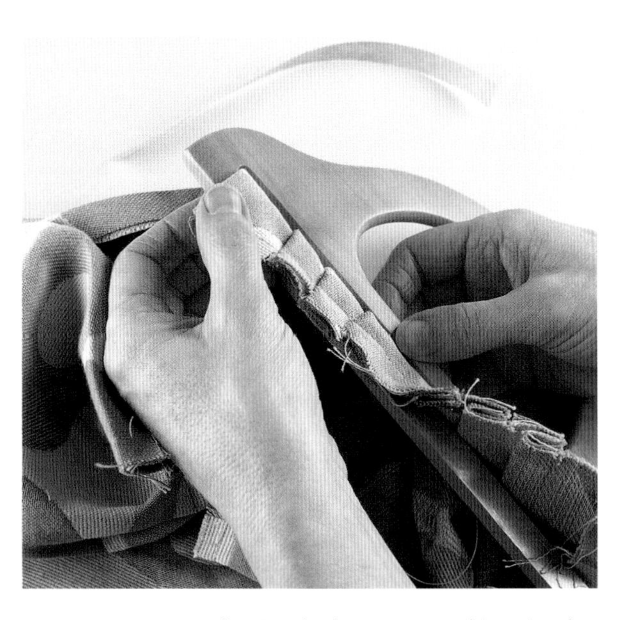

4 Pega cinta adhesiva de dos caras en el interior de las asas de madera, debajo de la ranura. Mete la tela y las pinzas por la ranura desde la parte exterior de las asas. Levanta el papel del reverso de la cinta y dobla la tela sobre la cinta. Será necesario tirar más de la tela para cubrir las ranuras

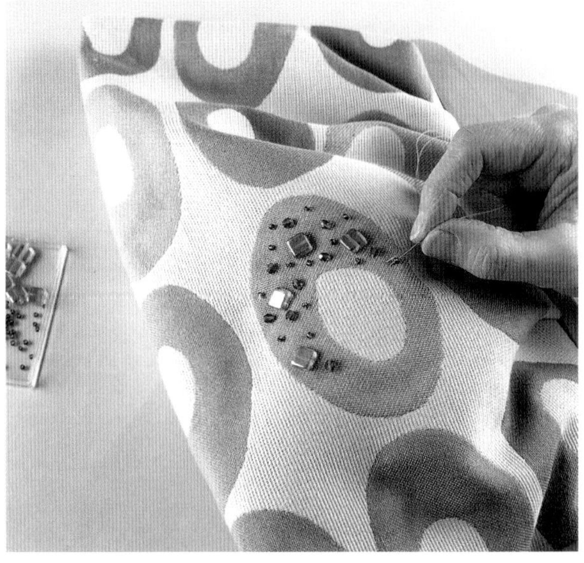

5 Adorna el bolso con abalorios. En esta tela, los abalorios se han colocado en uno de los motivos ovalados de la parte delantera del bolso. Para coser los abalorios, haz un nudo en el extremo de una hebra larga de hilo, mete la aguja por la tela y sácala por delante. Coge una cuenta con la hebra y lleva la hebra hacia atrás para pasar hacia el otro lado. Da una segunda puntada al abalorio para mayor seguridad. Continúa añadiendo cuentas con dos puntadas hasta terminarlo de adornar. Asegura la hebra con dos pequeñas puntadas hacia atrás por el reverso de la tela.

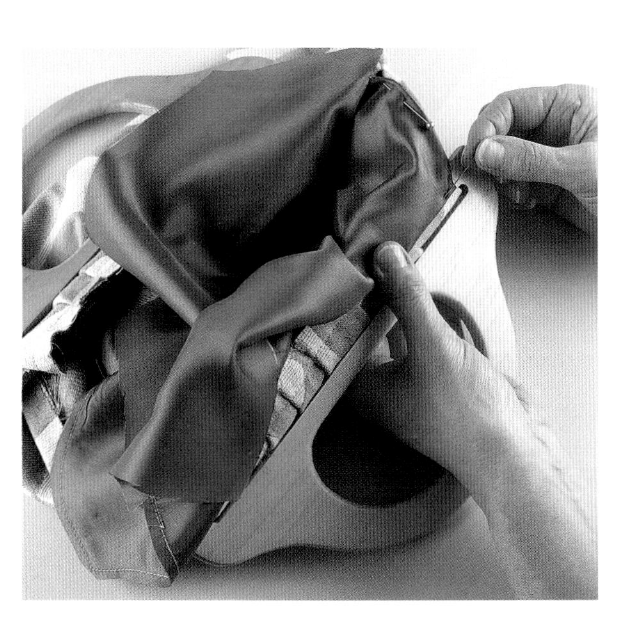

6 Coloca en el centro del bolso una pieza de tela de forro doblada. Corta alrededor de los laterales y de la base del bolso dejando un margen para la costura de 1,5 cm. Deja un margen amplio a lo largo del borde superior. Marca con alfileres la posición de la costura lateral en el forro. Cose a máquina la costura lateral y la de la parte inferior, entre los alfileres, y recorta a 6 mm. Entremete el forro en el bolso y sujeta con alfileres en las costuras laterales. Dobla por encima el borde superior del forro con cuidado y sujétalo con alfileres a las pinzas, tan cerca de la ranura del asa como sea posible. Cose el forro por el interior del bolso con puntadas escondidas para que queden casi invisibles.

bolso reversible

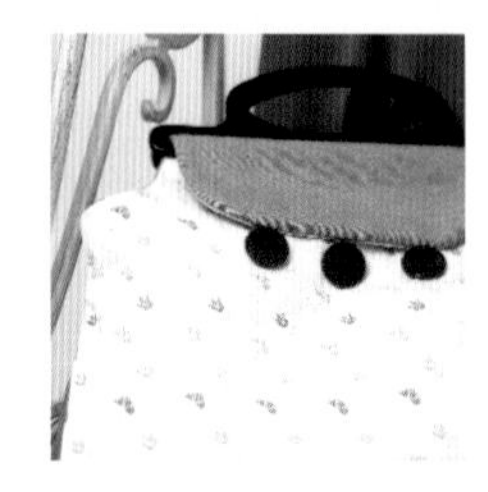

Las prendas reversibles tienen la ventaja de ofrecerte dos apariencias diferentes por el precio de una y este bolso poco corriente produce el mismo efecto. Los botones permiten que puedas quitar las asas y darle la vuelta para cambiar de color. También podrías ¡cambiar las asas! Elige dos telas a tono y combina los botones con las asas para crear un diseño conjuntado. Esta es la mejor manera de disfrutar de dos bolsos sin encarecer su coste; para ello debes escoger muy bien las telas.

materiales

50 cm de tela lila de 90 cm de ancho
50 cm de tela estampada lila de 90 cm de ancho
50 cm de cinta de organza morada de 7 mm de anchura
2 asas acrílicas negras de 19,5 cm de anchura
12 botones de 2 cm o 2,5 cm

Los **márgenes para las costuras** son de 1,5 cm y el pespunte de la máquina de coser es recto.

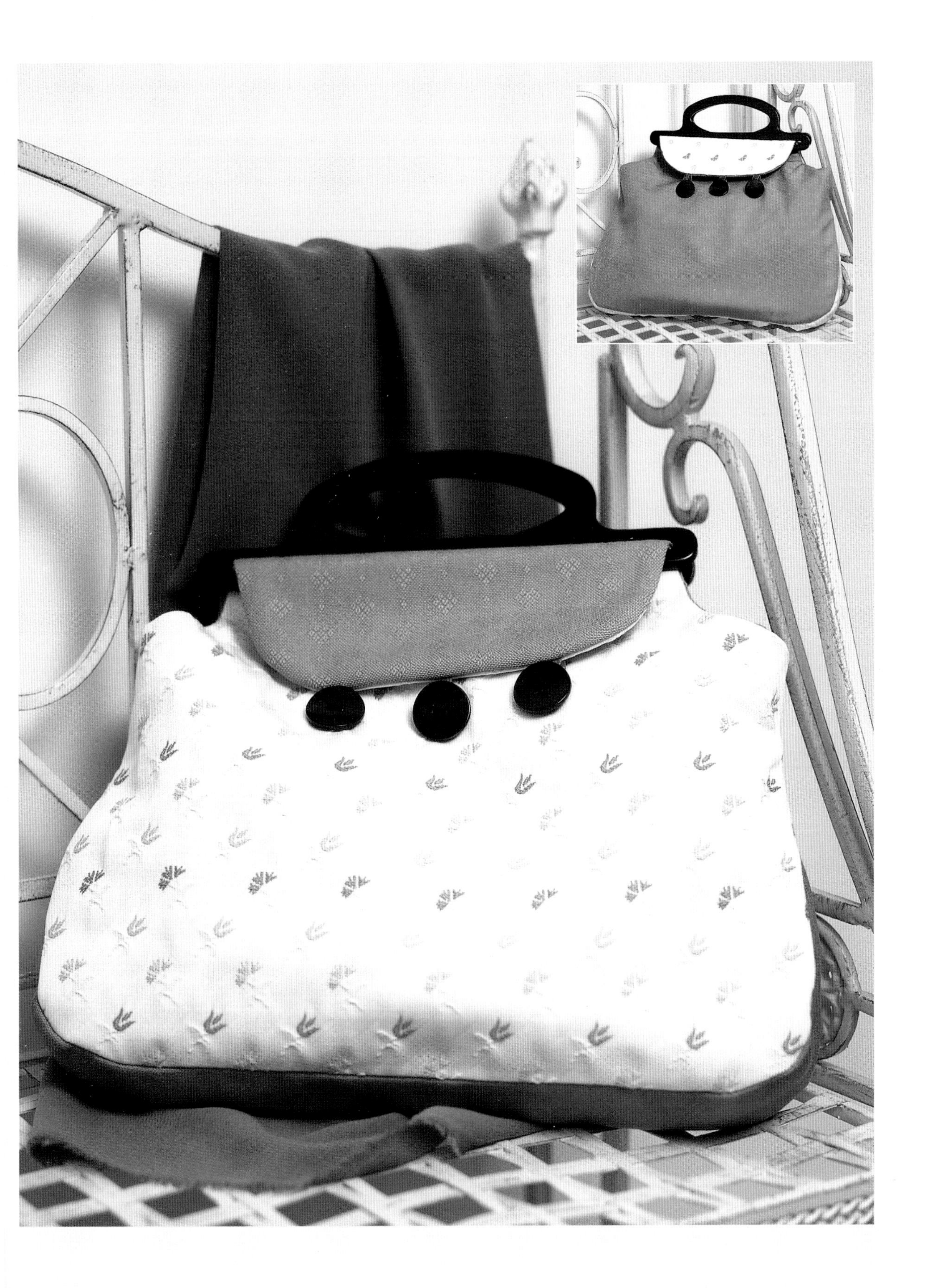

1 Fotocopia la plantilla de la página 90 y corta dos piezas para el bolso y una tira de 9 x 65 cm de cada tela. Para hacer los escudetes, extiende las tiras y a continuación mide 15 cm hacia abajo en cada lado desde el extremo y marca. Señala el centro en los extremos de cada tira. Dibuja líneas a lápiz desde el punto central hacia las marcas de 15 cm para crear un punto y corta siguiendo las líneas, haciendo una ligera curva en los bordes.

consejo

Antes de cortar marca en la tela los márgenes de la costura para que las dos capas sean del mismo tamaño.

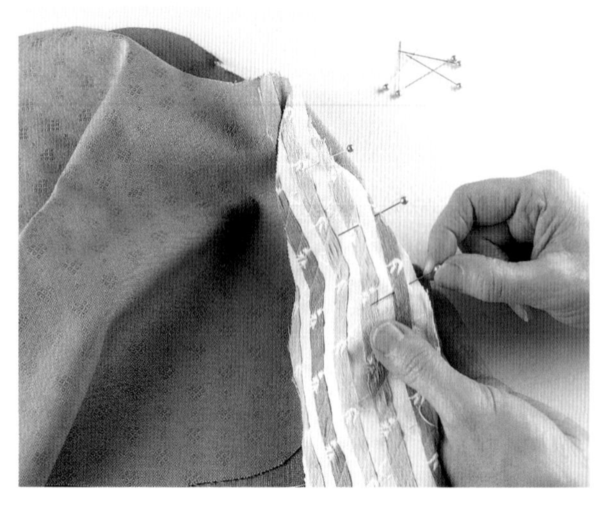

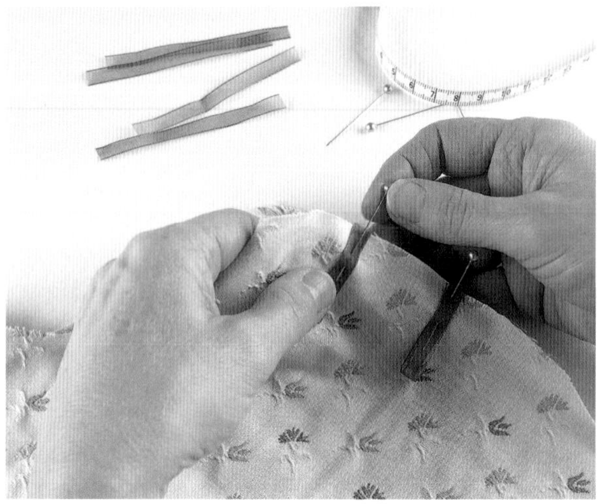

2 Une las dos piezas lila con alfileres haciendo coincidir el derecho de las telas y cose a máquina una costura de 4 cm hacia abajo a partir del borde superior de cada uno de los lados; da unos pespuntes hacia atrás para reforzar. Abre las costuras con la plancha. Coloca en su sitio el escudete estampado y sujétalo con alfileres en un lateral de la pieza lila. Cose a máquina de punto a punto, y después sujeta con alfileres y cose el segundo lateral. Compón las piezas estampadas del bolso con un escudete de color lila liso de la misma manera, dejando un espacio a lo largo del borde inferior recto para darle la vuelta.

3 Corta seis cintas de 8 cm de longitud y dobla cada una de ellas por la mitad y a lo ancho.
Sujeta con un alfiler una cinta doblada en el centro de la parte superior de una pieza estampada, uniendo los bordes sin rematar y con la presilla mirando hacia abajo en el interior del bolso. Sujeta con alfileres una cinta doblada a 3,5 cm de cada lado. Igualmente, sujeta con alfileres las otras tres tiras de cinta en el otro lado del bolso.

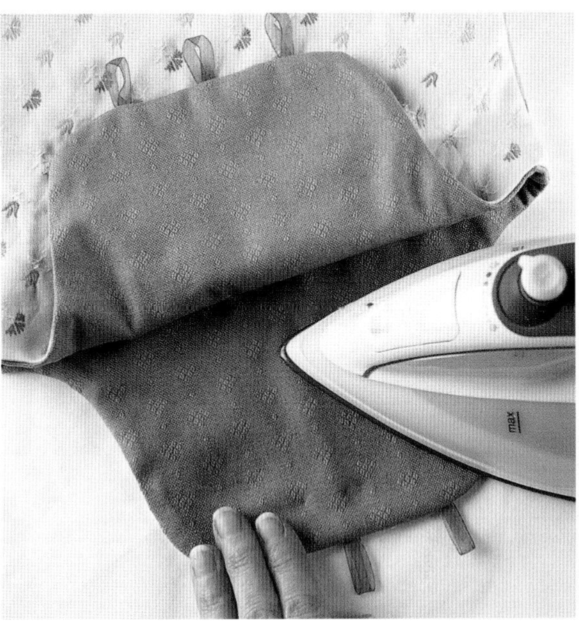

4 Dale la vuelta al bolso lila y deja el bolso estampado del derecho. Mete el bolso estampado en el interior del lila uniendo las caras y coloca alfileres alrededor del borde superior, emparejando las costuras. Cose alrededor del borde. Recorta el margen de la costura a 6 mm. Haz unos cortes en las curvas exteriores y después, con cuidado, en las interiores (ver «Técnicas», página 14).

5 Dale la vuelta por el espacio que has dejado en el bolso estampado y plancha con cuidado. Para conseguir que la costura quede exactamente en el borde, humedece los dedos y estira la costura (ver «Técnicas», página 15). Cierra el espacio con puntadas invisibles o escondidas.

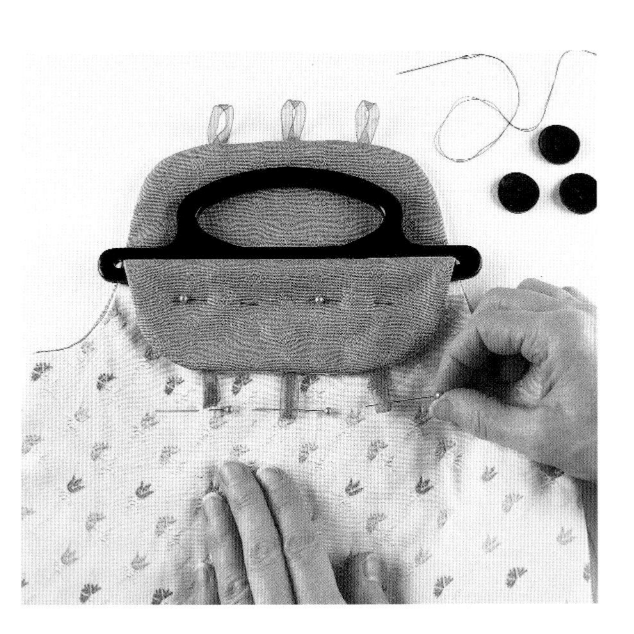

6 Coloca las asas y fija la solapa en su sitio con alfileres. Para marcar las posiciones de los botones, prende alfileres a unos 3 mm de la parte inferior de las presillas de cinta. Cose un juego de botones en cada lado del bolso. Para hacer el bolso reversible, cose otros dos juegos de botones por encima de los anteriores, por el interior del bolso.

consejo

Si lo prefieres, utiliza un juego de botones para la tela estampada y otro diferente para la tela lisa.

bolsa de labores

Como está demostrado que hacer punto es una afición que no pasa de moda, esta útil bolsa de labores tiene la elegancia suficiente para llevártela a cualquier parte y poder tener a mano tu labor. Se ha diseñado de un modo inteligente con dos piezas que se solapan en diagonal y que forman bolsillos, tanto en el exterior como en el interior. Se podría haber hecho de un solo color, pero los dos colores contrastantes enfatizan las atractivas líneas diagonales que también forman el espacio para el asa de bambú. Elige una tela firme, como esta pana fina, o incluso tela vaquera o loneta, para hacer una bolsa práctica con mucho sitio para tu labor, y muchos espacios para guardar con seguridad las tijeras y otros accesorios.

materiales

50 cm de pana color crema (pana fina) de 90 cm
50 cm de pana color teja (pana fina) de 90 cm
Lápiz
2 varas de bambú de 32 cm
Hilo de coser color crema y color teja

Los **márgenes para las costuras** son de 1,5 cm y el pespunte de la máquina de coser es recto.

1 Dobla por la mitad la tela de pana de color crema, de modo que las hendiduras queden en perpendicular al pliegue. A continuación fotocopia y recorta la plantilla de la pieza del bolso de la página 91 y sujeta con alfileres el patrón a la tela de color crema, de manera que el borde superior quede sobre el pliegue. Añade 1,5 cm para las costuras en los otros lados y corta. Corta dos piezas del bolso de cada color de la misma manera.

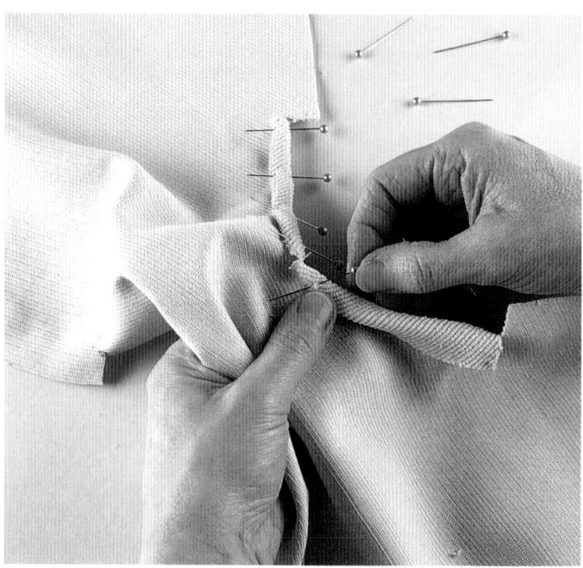

2 Marca con un lápiz los puntos que se muestran en la plantilla en las cuatro piezas del patrón. Estas marcas indican dónde hay que coser. Quita el patrón de papel y haz unos cortes de 1,5 cm en los puntos marcados. Abre la pieza de color crema. En la parte superior del borde diagonal, dobla el margen para la costura por la mitad entre los puntos marcados, y después dobla hacia el revés de la tela y sujeta con alfileres. El enrollado se estrechará hacia el centro, pero deberías volverlo lo suficiente para cogerlo cuando cosas el borde. Cose a máquina cerca del pliegue y de nuevo a lo largo del borde del enrollado.

3 Dobla la pieza de color crema a lo largo de la línea del pliegue marcada en la plantilla, derecho contra derecho, y cose la costura diagonal. Cose la costura lateral hacia abajo hasta donde está marcado el punto. Recorta las costuras y plancha para abrirlas. Dale la vuelta a la pieza y sujeta con alfileres la costura diagonal. Cose esta costura con pespunte superior, haciendo dos hileras de pespuntes, continuando hacia abajo desde el pespunte anterior. Prepara las cuatro piezas de la misma manera.

4 Solapa una pieza de color crema y otra de color teja, de modo que la crema quede por encima. Introduce una vara de bambú en los pliegues y sujeta las capas con alfileres. Para dar forma al bolso, utiliza un plato de unos 13 cm de diámetro para dibujar curvas en cada una de las esquinas inferiores. Une las capas sujetándolas con alfileres e hilvanándolas. Enhebra la máquina de coser con hilo de color crema arriba e hilo de color teja en la canilla. Cose a máquina una forma de rombo a lo largo de las líneas de pespuntes anteriores para unir las dos piezas donde se cruzan. Haz una segunda pieza exactamente de la misma manera.

5 Para el escudete, corta una tira de 18 x 78 cm de pana color teja. Dobla hacia abajo formando un enrollado estrecho en cada extremo de la tira y cose a máquina. Colocando derecho contra derecho, sujeta con alfileres un lado del escudete a la primera pieza del bolso. Tijeretea el margen de la costura del escudete para aflojar la tela alrededor de la curva. Cose a máquina y después añade la segunda pieza del bolso por el otro lado.

consejo

Cuando coloques el escudete, marca el centro en el bolso y el escudete, y haz coincidir estos puntos antes de sujetar los laterales con alfileres.

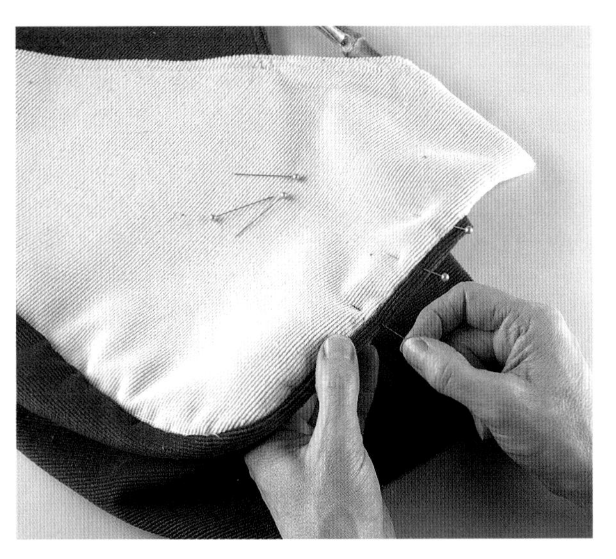

6 Los bordes sin rematar de este bolso se terminan empleando la tela del escudete. Para hacerlo, recorta las costuras a 6 mm y dale la vuelta al bolso. Dobla por encima del borde superior del escudete y recorta las esquinas para reducir volumen. En un lateral, dobla el escudete sobre la costura recortada y sujeta con alfileres, de modo que encierren los bordes sin rematar. Si lo prefieres, hilvana y quita los alfileres, y después cose a máquina siguiendo el borde del ribete desde el derecho. Repite el proceso en la parte de atrás del bolso.

bolso de loneta y cinta

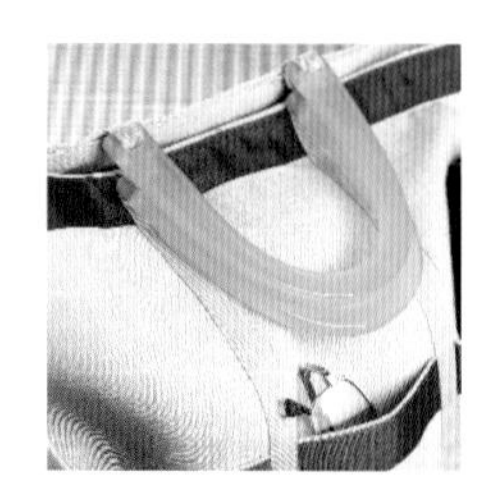

Este bolso de colores vivos tiene bolsillos amplios y útiles que resultan ideales para guardar muchos objetos pequeños. Tiene el tamaño perfecto para llevar un almuerzo o para pasar un día en la playa. El bolso lleva una entretela de loneta termo-adhesiva que se vende para confecciones pesadas. Esto ayuda a soportar el peso de las asas acrílicas. También puedes hacer asas de tela y ampliar la cinta de color lima para reforzar. El bolso se puede hacer de cualquier color, solo hay que elegir una cinta de seda con hendiduras horizontales *(grosgrain)* a tono con la tela y otra cinta de un color que contraste.

materiales

- 90 cm de loneta de algodón verde de 145 cm de ancho
- 46 cm de entretela de loneta termo-adhesiva de 90 cm de ancho
- Hilos de coser que combinen con la tela y las cintas
- 2 m de cinta *grosgrain* de color berenjena de 2,5 cm de ancho
- 2 m de cinta *grosgrain* de color lima de 1,5 cm de ancho
- 2 asas acrílicas verdes de 14 cm de anchura en la base

Los **márgenes para las costuras** son de 1,5 cm y el pespunte de la máquina de coser es recto.

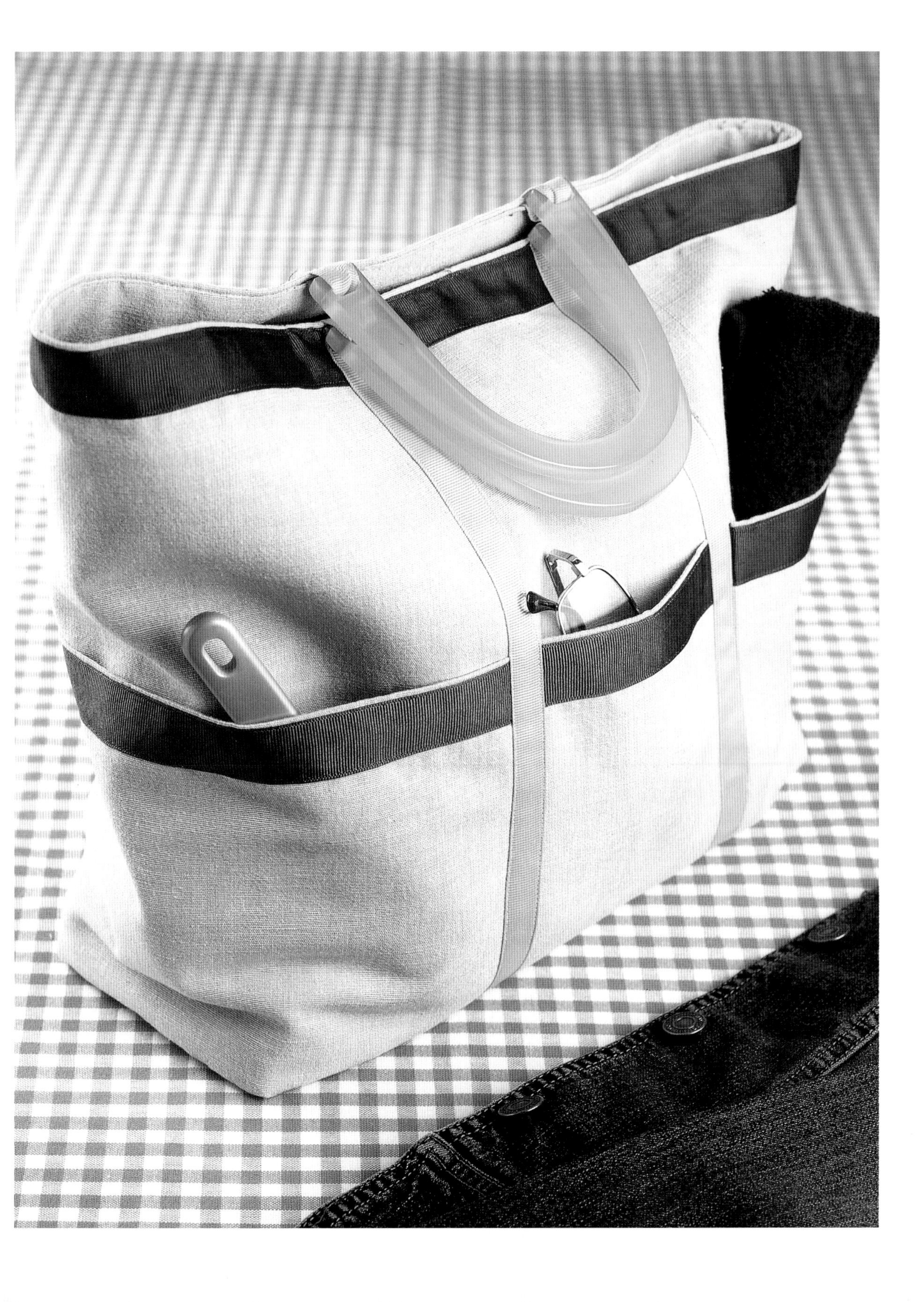

1 Corta dos piezas de loneta verde de 34 x 91 cm para el bolso y una pieza de entretela del mismo tamaño. Corta otra pieza de loneta verde de 20 x 91 cm para el bolsillo. Corta dos piezas de loneta de 15 x 35 cm para la base y una pieza de entretela del mismo tamaño. Plancha la entretela por el revés de las piezas de loneta.

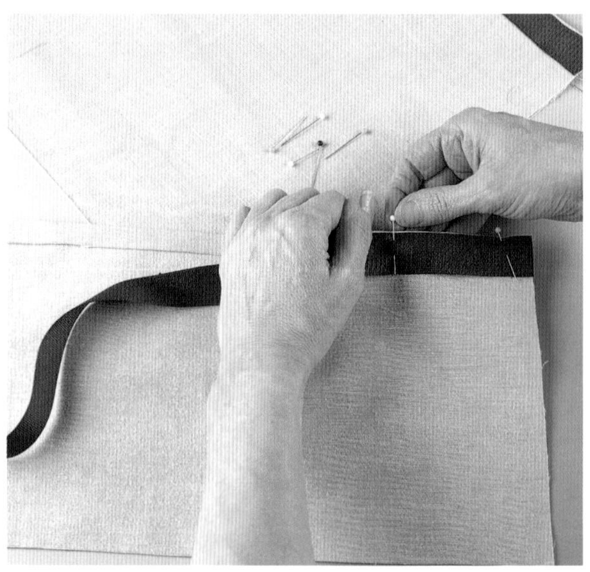

2 En una de las piezas con entretela plancha un pliegue de 1,5 cm hacia el derecho de la tela siguiendo el borde. Sujeta con alfileres la cinta de color berenjena a lo largo del borde superior, de modo que cubra el pliegue y cose a máquina cada borde de la cinta en la misma dirección para evitar que se arquee. Plancha un pliegue del mismo tamaño en la pieza del bolsillo, hacia el derecho, y cose a máquina la cinta de color berenjena a lo largo del pliegue y cubriendo los bordes sin rematar.

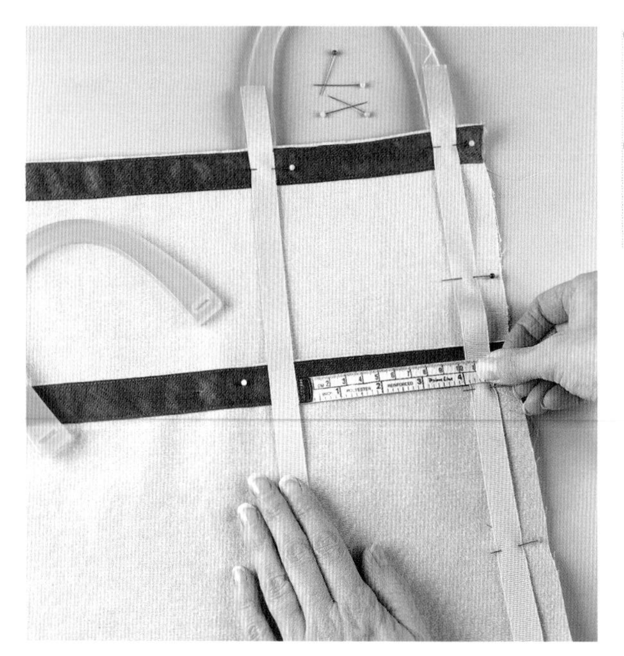

		posición del asa		posición del asa
9 cm	12 cm	9 cm 14 cm 9 cm	12 cm	9 cm 14 cm
		← 32 cm →		
1,5 cm margen para costura		pieza del bolsillo		1,5 cm margen para costura

3 Sujeta con alfileres la pieza del bolsillo a la parte delantera del bolso, de modo que queden alineados los bordes inferiores. Para marcar la posición de cintas, asas y esquinas, prende alfileres a lo largo de los bordes superior e inferior, como se muestra en el diagrama de arriba. Coloca un asa a mano derecha, al mismo nivel que el margen para la costura. Sujeta con alfileres la cinta de color lima bajándola directamente desde cada lado del asa y dejando que sobresalga 6 cm por encima del borde del bolso.

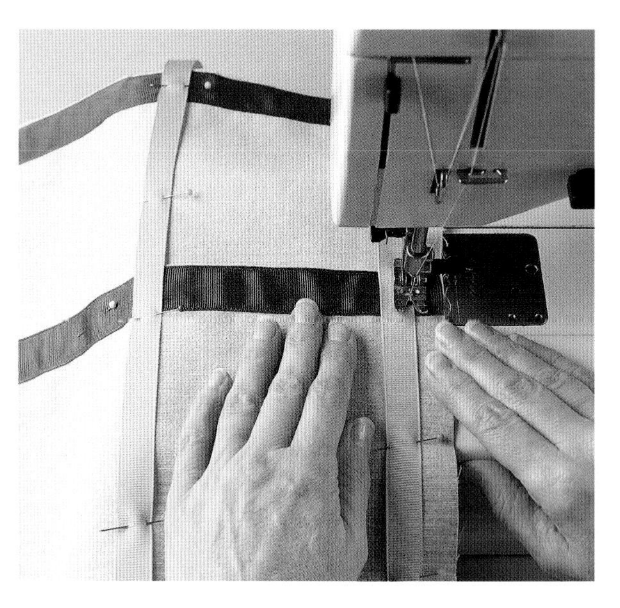

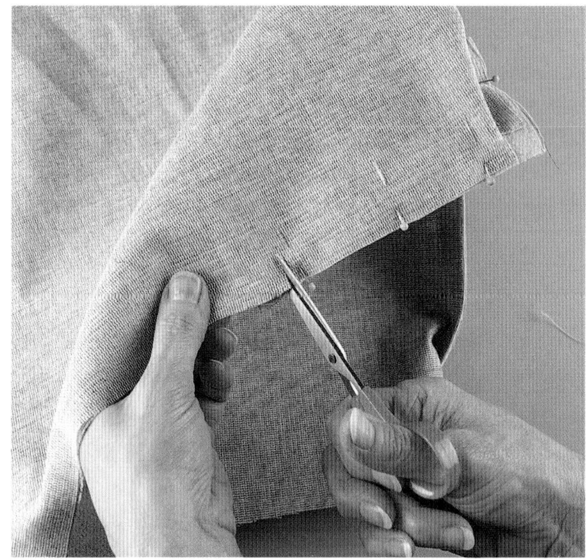

4 Coloca la segunda asa entre las otras marcas de 14 cm a la izquierda del diagrama y sujeta con alfileres la cinta de color lima como antes. Cose a máquina cada uno de los bordes de la cinta; da unos pespuntes hacia atrás en la parte superior para reforzar. Dobla el bolso a lo ancho, derecho contra derecho. Cose la costura de atrás del bolso asegurándote de que las cintas de color berenjena quedan alineadas en horizontal. Recorta la entretela desde el margen para la costura y plancha la costura para abrirla.

5 Uniendo los derechos de la tela, sujeta con alfileres una de las piezas de la base con entretela entre las marcas de 32 cm. Cose a máquina entre los alfileres; da unos pespuntes hacia atrás en cada extremo para reforzar. Trabaja alrededor de la pieza base cosiendo un lateral cada vez. Haz unos cortes en la costura, en la marca de cada alfiler, para facilitar dar la vuelta a la esquina y coser.

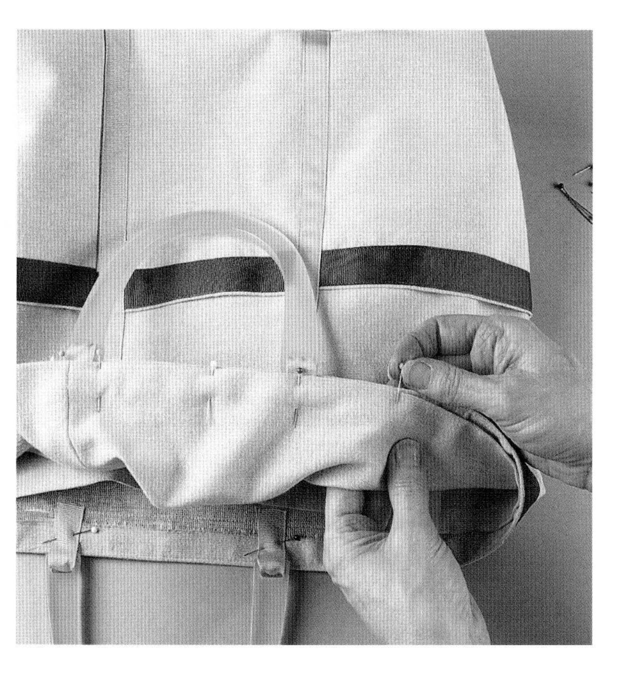

6 Haz un forro con el sobrante de las piezas del bolso y de la base. Sujeta la base a la pieza del bolso con alfileres, de modo que la costura de atrás quede emparejada cuando se entremeta el forro. Recorta las costuras de la base y plancha un pliegue de 1,5 cm hacia el exterior, a lo largo del borde superior. Entremete el forro en el bolso. Mete las presillas de la cinta por las asas e hilvana bien. Fija el forro en su lugar con alfileres y cose a máquina alrededor del borde superior.

consejo

Para un acabado más profesional, combina con la cinta el hilo superior de la máquina y con la tela, el hilo de la canilla.

estampado dálmata

El estilo de este diseño es clásico y puede ser un bolso de mano fácil de hacer o, si amplias el patrón, puedes convertirlo en una bolsa de la compra. La elección de la tela es bastante personal, pero los estampados de animales nunca se pasan de moda. Este estampado dálmata resulta gracioso y puedes añadir un toque de opulencia con un lujoso ribete de flores de marabú. Por supuesto, la flor de marabú es solo una opción para el ribete; podrías utilizar cinta fruncida, flores de seda o un ribete de cuentas para adornar este bolso.

materiales

- 50 cm de tela estampada de animal de 90 cm de ancho
- 50 cm de entretela de loneta termo-adhesiva fundible de 90 cm de ancho
- 50 cm de entretela de alzapaño fundible de 90 cm de ancho (opcional)
- 50 cm de popelina negra de algodón de 90 cm de ancho para el forro
- 32 cm de cinta negra de 7 mm de anchura
- 2 asas acrílicas negras de 8 x 14 cm
- Broche magnético y resina epoxi (opcional)
- 75 cm de ribete de flores de marabú negro

Los **márgenes para las costuras** son de 1,5 cm y el pespunte de la máquina de coser es recto.

1 Fotocopia y recorta las plantillas de la página 92. Sujeta con alfileres la plantilla de la pieza del bolso a la tela estampada, de modo que el pelo vaya hacia abajo y, añadiendo márgenes para la costura todo alrededor, corta dos piezas del bolso y una de la base. Corta la entretela termo-adhesiva a la misma medida y plánchala sobre el revés de las piezas del bolso y de la base. Marca los puntos de las esquinas en la base y en las piezas del bolso con hilvanes de sastre o flojos (ver «Técnicas», página 11).

consejo

Si no encuentras entretela rígida fundible, puedes rociar las piezas con adhesivo y pegarlas en su sitio en el bolso.

2 Sujeta con alfileres las piezas del bolso, derecho contra derecho. Cose a máquina las costuras laterales y da unos pespuntes hacia atrás en los primeros hilvanes flojos para reforzar. Inserta la pieza de la base, emparejando los hilvanes flojos con los de las piezas del bolso. Cose a máquina un lateral cada vez, de punto a punto, realizando pespuntes hacia atrás en cada extremo. Tijeretea las esquinas y recorta los extremos de los puntos en la pieza de la base.

3 Este paso es opcional. Es un poco complicado, pero da al bolso una forma muy firme. Corta entretela de alzapaño fundible a la misma medida de las piezas del patrón. Da la vuelta al bolso e introduce la pieza de la base. Utiliza una toalla enrollada para que se mantenga la forma y planches con seguridad. Da la vuelta al bolso, introduce las dos piezas laterales, de modo que se entremetan por debajo de los márgenes de la costura. A continuación plancha para fijar en su sitio. Dobla la tela por encima de la entretela rígida alrededor del borde superior y cose a máquina.

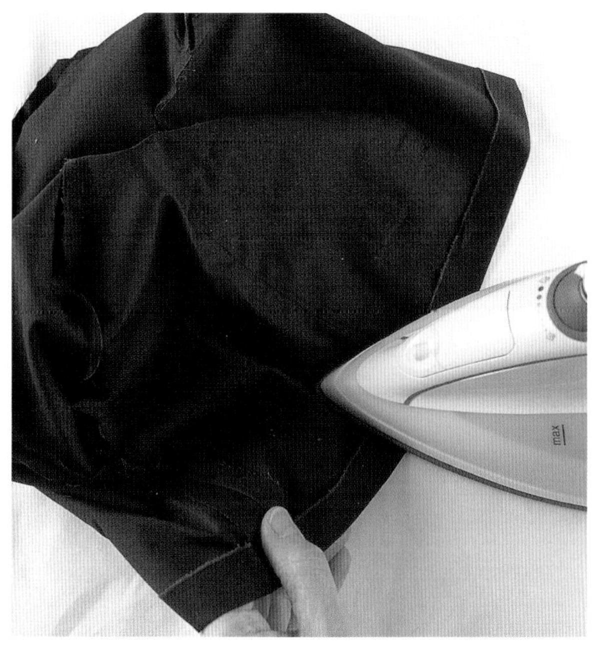

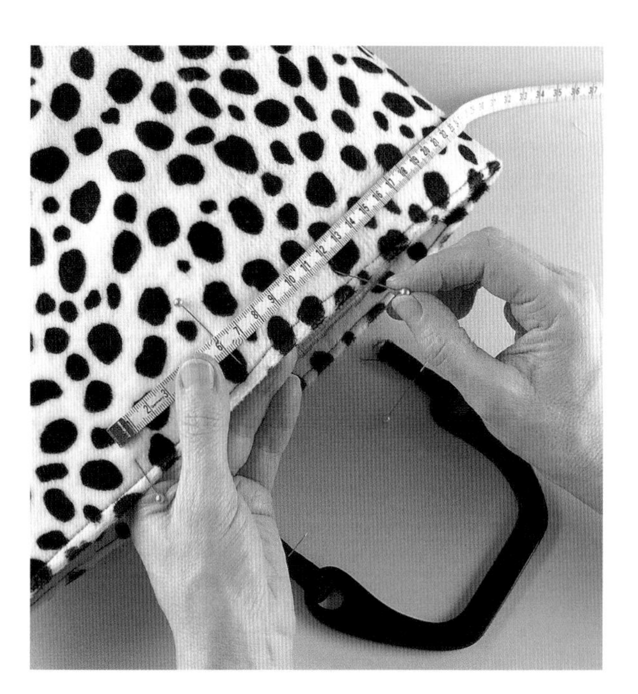

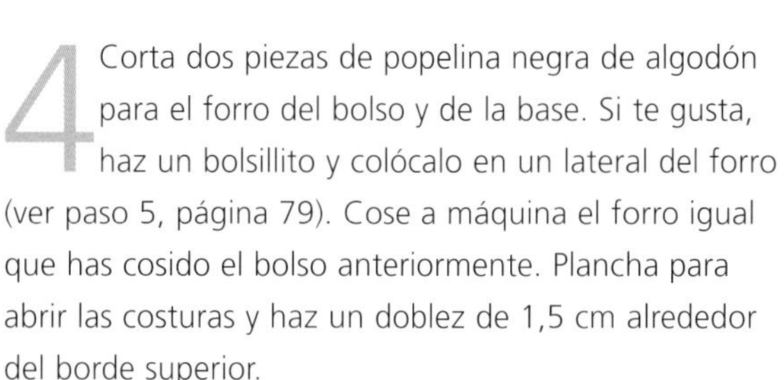

4 Corta dos piezas de popelina negra de algodón para el forro del bolso y de la base. Si te gusta, haz un bolsillito y colócalo en un lateral del forro (ver paso 5, página 79). Cose a máquina el forro igual que has cosido el bolso anteriormente. Plancha para abrir las costuras y haz un doblez de 1,5 cm alrededor del borde superior.

5 Mete un trozo de cinta negra de 8 cm de longitud por cada agujero del asa. Sujeta la cinta con alfileres por el interior del bolso, de modo que las asas queden centradas. No aprietes demasiado la cinta: las asas deberían poder moverse hacia arriba y hacia abajo. Para reforzar la costura, cose a máquina pasando dos o tres veces sobre la línea de la costura.

6 Introduce el forro en el interior del bolso y sujétalo con alfileres. Si quieres añadir un broche magnético, ponlo ahora atravesando el forro y utiliza pegamento fuerte, como la resina epoxi, para pegarlo a la entretela rígida. Cose el forro a la tela del bolso con puntadas escondidas. Coloca el ribete de flores de marabú alrededor del borde superior del bolso sujetándolo con alfileres y recorta a la longitud correcta. Cose por encima las flores de marabú, de modo que no se vean las puntadas en el interior del bolso.

consejo

Cuando vayas a colocar el broche magnético, plancha un cuadrado de entretela de peso medio o gruesa por el revés de la tela o forro para ayudar a soportar el peso del broche.

bolso de flores de PVC

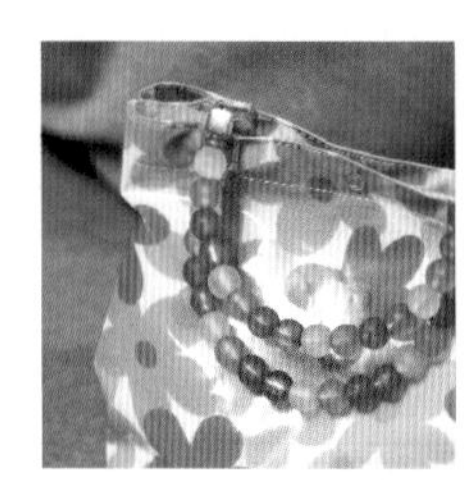

Este gracioso bolso se ha diseñado especialmente para poder hacerlo del modo más sencillo posible. En vez de añadir una base, simplemente se ha realizado una forma de caja doblando las esquinas del bolso plano y cosiendo al bies. El asa tiene fornituras atornilladas para que puedas añadir los abalorios que elijas, pero también podrías emplear un asa de cuentas ya hecha que combine con la tela. La belleza del asa de abalorios se encuentra en que puedes elegir cuentas que combinen perfectamente con la tela del bolso.

materiales

- 45 x 90 cm de PVC con estampado de flores
- Lápiz
- Regla
- 4 juegos de corchetes plateados
- Martillo
- 2 asas atornilladas plateadas de 14 x 9,5 cm para las cuentas
- Aproximadamente 32 cuentas de colores, de 12 mm, que combinen con el color del PVC
- Pegamento fuerte o resina epoxi
- Pegamento para tela
- Clips para papel
- Cartón rígido
- Adhesivo en espray

Los **márgenes para las costuras** son de 1,5 cm y el pespunte de la máquina de coser es recto.

1 Corta dos piezas de PVC de 35 x 33 cm. Colocando derecho contra derecho, cose las costuras de los laterales cortos y la inferior. Da unas puntadas hacia atrás en la parte superior de cada costura para reforzar. Recorta las esquinas en diagonal.

consejo
Para cortar con más precisión las piezas del bolso, mide y marca con lápiz por el revés del PVC.

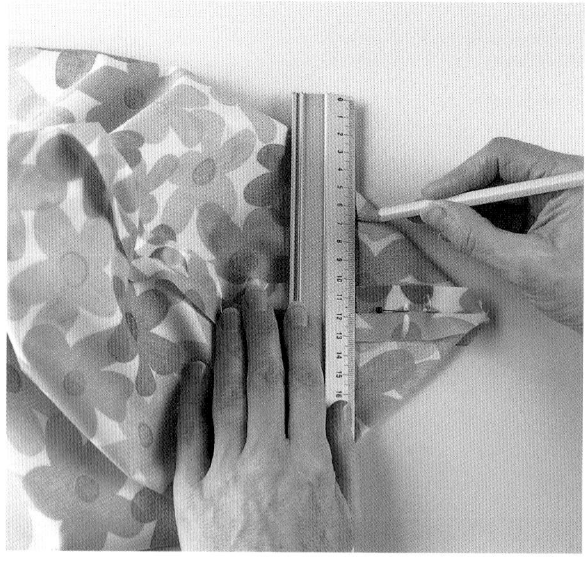

2 Para hacer la base, extiende la esquina inferior, alinea la costura inferior con la lateral y prende un alfiler que atraviese las dos costuras para alinearlas. Mide 7 cm a partir del punto y dibuja a lápiz una línea perpendicular a la costura. Cose a máquina siguiendo la línea y recorta a 6 mm. Haz lo mismo en la otra esquina.

3 Para hacer el bolsillo interior, corta una pieza de PVC de 12 x 20 cm. Haz un pliegue de 1,5 cm en uno de los extremos cortos y cose a máquina dos hileras de 1 cm separadas. Dobla a lo ancho haciendo coincidir el derecho de la tela y dejando 12 mm por encima del borde cosido. Cose a máquina las costuras y dale la vuelta. Utilizando un martillo y la herramienta que se suministra con los corchetes, sigue las instrucciones del fabricante para introducir un corchete en el centro del bolsillo.

consejo
Para un mejor acabado, puedes pegar la costura lateral y la inferior utilizando pegamento para tela antes de coser las esquinas.

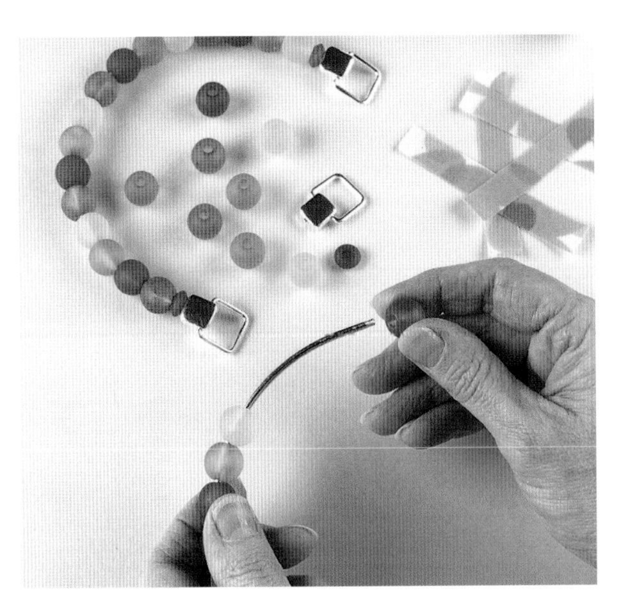

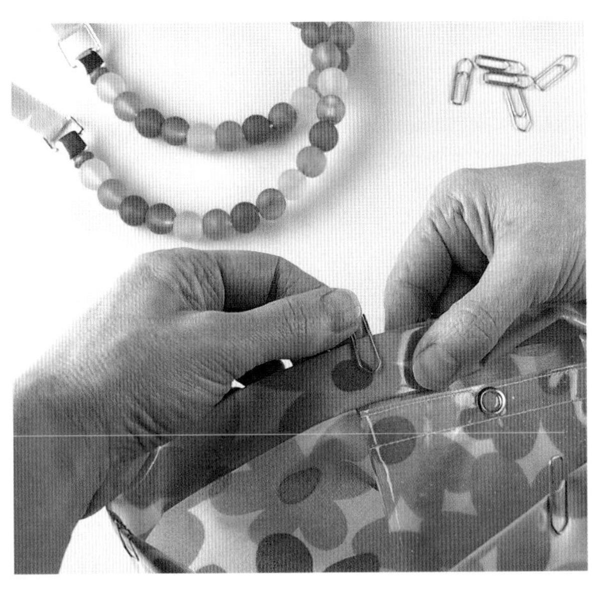

4 Desatornilla un extremo de una de las asas de abalorios, inserta las cuentas suficientes y después vuelve a ajustar el cierre. Quizá necesites utilizar un par de cuentas más pequeñas en cada extremo para lograr un cierre ajustado. Aplica unas gotas de pegamento súper o resina epoxi para fijar el cierre atornillado. Corta cuatro tiras de PVC de 12 mm x 8 cm. Mete las tiras por los agujeros del asa y pégalas con pegamento para tela.

consejo

El lateral que se abrocha con corchetes debería quedar hacia el exterior del bolso en las costuras laterales y coincidir los derechos de la tela entre las asas.

5 Dale la vuelta al bolso, y dobla 2 cm hacia abajo y después otros 2 cm más. Sujeta el dobladillo superior con clips para que quede en su sitio. Recorta el sobrante del margen de la costura del interior del dobladillo para reducir volumen. Entremete el bolsillo debajo de la costura en un lateral y mantenlo en su sitio colocando clips. Mete las presillas del asa por debajo y dobla hacia arriba, de modo que queden justo en el borde superior. Cose a máquina el borde inferior del dobladillo, todo alrededor, quitando los clips a medida que avanzas. Cose de nuevo alrededor del borde superior.

6 Haz una marca a lápiz a 3 cm de cada costura lateral y centrada en el dobladillo superior. Siguiendo las instrucciones del fabricante, coloca un juego de corchetes en cada lado de la costura lateral. Cierra los corchetes para dar forma al bolso. Marca el punto central entre las asas y coloca otro juego de corchetes. Mide la base del bolso y corta un trozo de cartón rígido para colocarlo en la base. Rocía el cartón con adhesivo y cúbrelo con un trozo un poco más grande de tela de PVC y, con el cartón mirando hacia abajo, pégalo en la base del bolso.

bolso de «tweed»

Este bolso se ha diseño especialmente para llevar asas redondas, tanto si son acrílicas como si son de madera o de bambú. Respecto a la tela, elige alguno de los magníficos *tweeds* que se pueden encontrar en una sorprendente gama de colores y texturas para combinar con el color de las asas. Algunos *tweeds* tienen hilos de fantasía incorporados en el tejido, así que ten cuidado a la hora de cortar las piezas del bolso porque el derecho tiene que quedar arriba. Si prefieres un tipo de tela diferente, elige una de tacto suave que se pueda fruncir bien alrededor de las asas.

materiales

50 cm de *tweed* de 115 cm de ancho, u otra tela blanda
2 asas redondas de bambú de 18 cm de diámetro
45 cm x 45 cm de entretela termo-adhesiva
Cierre magnético y resina epoxi
50 cm de popelina negra de algodón de 91 cm de ancho para el forro
Pasador de bambú
Alicates

Los **márgenes para las costuras** son de 1,5 cm y el pespunte de la máquina de coser es recto.

1 Fotocopia las plantillas de la página 93 y haz patrones independientes para la pieza del bolso, el forro, la presilla y el bolsillo. Dobla el tweed por la mitad, a lo ancho y haciendo coincidir el derecho de la tela. Sujeta con alfileres el patrón del bolso a la tela y, añadiendo márgenes para la costura todo alrededor, corta para hacer dos piezas del bolso. Marca los puntos de cada lado con hilvanes flojos (ver «Técnicas», página 11) y separa las dos piezas. Para marcar la línea del pliegue en la parte superior de cada una de las piezas del bolso, baja la plantilla, de modo que quede a la altura de los primeros hilvanes flojos por debajo del borde superior. Hilvana el borde curvado en las dos piezas.

2 Sujeta con alfileres las piezas del bolso haciendo coincidir los derechos de la tela y cose a máquina alrededor del borde inferior curvado, entre los dos hilvanes flojos más bajos, y da unos pespuntes hacia atrás para reforzar. Cose de nuevo a 2 mm de la primera línea de pespuntes para reforzar. Recorta y haz unos cortes solo en el borde curvado y después dale la vuelta al bolso.

consejo

Cuando hilvanes o pases hilos flojos, usa hilo de un color vivo para que contraste bien con el *tweed.*

3 Dobla la sección superior de los márgenes para costuras laterales e hilvana. Haciendo coincidir el derecho de la tela, cose a máquina cerca del pliegue, baja por un lado, gira, y ve hacia atrás y hacia delante varias veces, cruzando la costura para reforzar; después cose el otro lado. Dobla las piezas del bolso por los hilvanes, mete las asas de bambú dentro y sujeta con alfileres. Haz puntos atrás atravesando ambas capas por debajo de las asas y cose los extremos del hilo para asegurar. Es más fácil dar puntadas hacia atrás si estiras la tela que rodea el asa y que has prendido con alfileres, y después vuelves a fruncir una vez cosido.

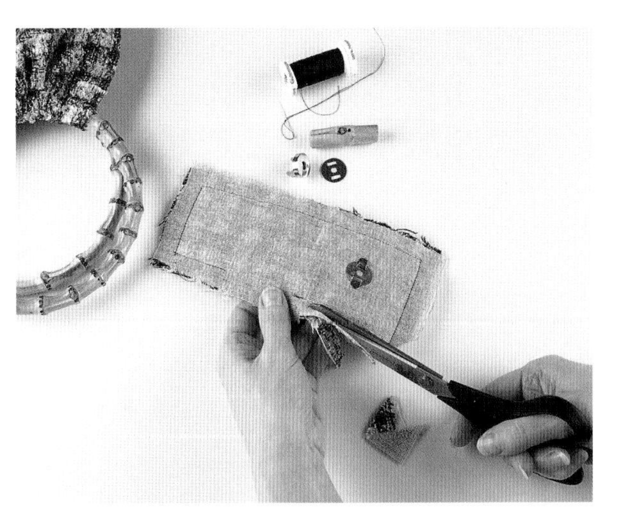

4 Corta dos piezas para las presillas a partir de la plantilla y plancha la entretela sobre una de esas piezas. Coloca el lado menos grueso del broche magnético en la pieza que lleva la entretela, donde se indica en la plantilla. Para terminar la presilla, une los derechos con alfileres y cose a máquina alrededor del borde, dejando un espacio en el lado más largo para darle la vuelta. Recorta las costuras y las esquinas, y dale la vuelta. Sujeta la presilla con alfileres en la línea de puntos en la parte posterior del bolso y marca la posición del cierre magnético en la parte delantera. Plancha un cuadrado pequeño de entretela por el interior para añadir resistencia y ajusta el lado más grueso del cierre magnético.

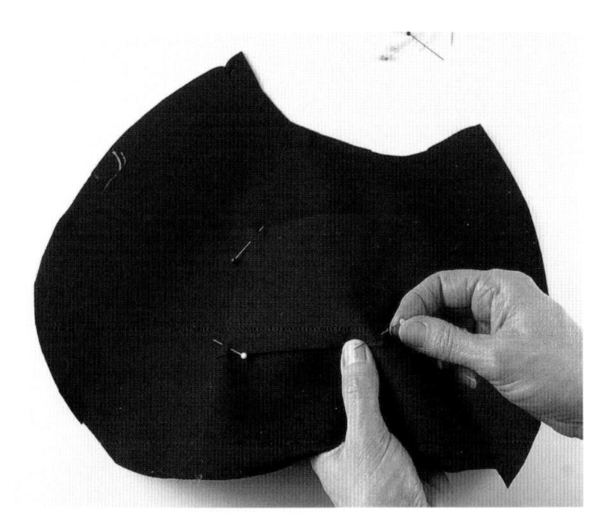

5 Corta dos piezas de popelina negra de algodón para el forro y marca los puntos con hilvanes flojos. Corta dos piezas de entretela y plánchalas por el revés de las piezas del forro. Para hacer el bolsillo interior, corta un cuadrado de popelina de 14 x 14 cm. Haz un dobladillo doble de 1 cm en un lado y cose a máquina. Dobla 1 cm en los otros tres lados y plancha. Mantenlo en su sitio con alfileres (mira la plantilla para colocarlo correctamente) y cose a máquina los tres lados; da unos pespuntes hacia atrás en cada extremo para reforzar.

6 Haz una costura de refuerzo (ver «Técnicas», página 11) en las curvas superiores de cada pieza del forro y después tijeretea cada 2 cm acercándote a la costura. Sujeta con alfileres las dos piezas del forro y el bolsillo interior. Cose a máquina entre los hilvanes flojos, dando unos pespuntes hacia atrás en cada extremo para reforzar. Recorta el borde curvado a solo 6 mm. Dobla el borde superior e hilvana. Luego hilvana el forro dentro del bolso y cóselo en su sitio con puntadas escondidas. Cose el extremo estrecho de la presilla a la costura de la parte posterior del bolso. Cose un pasador de bambú por delante de la presilla.

bolso de playa

Este bolso resulta ideal para la playa y se mantiene de pie, así que es poco probable que la arena se meta en tu almuerzo, en el bañador o en la crema solar. Cuando estés haciendo este bolso, es esencial cortar las telas y la entretela con exactitud para que la tela exterior se ajuste perfectamente a la interior. No te preocupes si no encuentras asas azules para hacer este bolso: puedes teñir unas asas claras con un tinte normal de usos múltiples. Es un proceso fácil que dura menos de media hora. Consulta las técnicas de la página 17 donde se dan instrucciones para teñir asas.

materiales

- 50 cm de entretela de alzapaño fundible
- Lápiz
- 50 cm de tela de algodón a cuadros con bordado azul
- 50 cm de loneta lisa de color azul
- Tejido adhesivo fundible
- 2 asas acrílicas redondas de 13 cm y de color azul
- Para teñir las asas: tinte de usos múltiples de agua caliente, que haga juego con la tela
- Sal de cocina

Los **márgenes para las costuras** son de 1,5 cm y el pespunte de la máquina de coser es recto.

1 Si es necesario, tiñe las asas acrílicas de color claro para combinarlas con la tela (ver «Técnicas», página 17). Fotocopia y recorta las plantillas de las páginas 94 y 95, y corta dos piezas para el bolso, dos piezas laterales y una base de entretela de alzapaño fundible sin dejar márgenes para las costuras en ella. Dibuja a lápiz una línea de 3 mm en las piezas del bolso, desde el borde y siguiendo la línea curva; a continuación corta por la línea.

consejo

Para cortar con exactitud los márgenes de las costuras en la tela, saca patrones nuevos utilizando la plantilla, pero añadiendo 1,5 cm alrededor.

2 Añadiendo un margen para costura de 1,5 cm todo alrededor, corta en la tela a cuadros dos piezas para el bolso, dos piezas laterales y una base. Coloca la plantilla centrada en el revés de las piezas de cuadros, dibuja siguiendo las líneas curvas y cose a máquina exactamente sobre la línea. Plancha la entretela por el revés de las piezas de tela. Haz unos cortes en el pespunte hecho a máquina y presiona sobre el margen de la costura. Hilvana alrededor del borde curvo.

3 Une las piezas del bolso sujetándolas con alfileres, de modo que la tela a cuadros quede en el interior y cose las costuras laterales. Presiona para abrir al máximo las costuras. Ahora coloca en su sitio la base y sujétala con alfileres; cose alrededor todos los laterales girando con cuidado en cada una de las esquinas. Recorta las costuras de la base a 6 mm. Ahora ya tienes un forro rígido para el interior del bolso. Déjalo aparte.

4 Para el bolso exterior añade 1,5 cm todo alrededor. En la tela azul lisa, corta dos piezas para el bolso, dos piezas laterales y una base. Ahora recorta las plantillas por la línea de contraste y después corta las piezas de contraste en la tela a cuadros. Presiona hacia abajo 1,5 cm siguiendo los bordes superiores de las piezas de cuadros. Sujétalo con alfileres a las piezas lisas, de modo que los bordes inferiores queden alineados y cose a lo largo del borde superior. Cose a máquina o hilvana alrededor de los bordes por el interior de los márgenes.

5 Haz una costura de refuerzo en los bordes curvos. A continuación haz unos cortes con las tijeras e hilvana. Une las dos piezas exteriores del bolso con alfileres y cose a máquina las costuras laterales dejando 12 mm de margen. El margen de costura más pequeño hace que el bolso exterior sea un poco más grande para poder ajustarlo bien al bolso interior. Presiona para abrir las costuras y comprueba el ajuste. Marca la línea de la base, retira el bolso exterior y coloca en su sitio la base del bolso exterior sujetándola con alfileres; cose a máquina. Recorta las costuras de la base a 6 mm.

6 Para hacer las presillas, corta diez tiras de 6 x 9 cm de tela a cuadros y plánchalas encima de tejido adhesivo. Corta este tejido al tamaño de las tiras. Dobla las tiras en tres, a lo largo, para formar presillas anchas de 2 cm y a continuación plancha. Dobla cinco presillas por la mitad pasando por encima del asa y cose para asegurarlas. Sujeta con alfileres e hilvana las presillas en su sitio. Ajusta el bolso exterior sobre el bolso interior rígido. Dobla hacia abajo el borde superior externo hasta igualarlo con el interior y sujeta con alfileres. Primero, cose a máquina alrededor del borde superior; luego, cambia el prensatelas de la máquina de coser para que puedas coser cerca de las asas. Da unos pespuntes hacia atrás en cada extremo para reforzar.

bolso anudado

La excelente calidad de este bolso de mano se logra empleando una tela pesada de textil de hogar con un estampado floral complicado tejido en dicha tela. Este tipo de tela se teje en un telar de *jacquard* que emplea tarjetas perforadas para controlar los hilos de la urdimbre y así crear el diseño. Elige una tela tejida lisa más fina para el nudo, que produzca el efecto de un pañuelo atado alrededor del bolso de un modo informal. Puedes cambiar el lazo con el fin de conjuntar este bolso con un traje concreto para una ocasión especial.

materiales

40 x 84 cm de tela *jacquard* de color crema
40 x 54 cm de entretela de loneta
Regla
Lápiz
1 m de cinta blanca o color crema de 6 mm de anchura
16 x 32 cm de tejido adhesivo fundible
2 asas de madera natural ovaladas de 9 x 12 cm
65 x 120 cm de tela estampada de flores en tonos crema para el forro y el pañuelo

Los **márgenes para las costuras** son de 1,5 cm y el pespunte de la máquina de coser es recto.

1 Corta dos piezas de 40 x 42 cm de tela *jacquard* color crema y dos piezas de 40 x 27 cm de entretela de loneta. Coloca la entretela sobre el revés de la tela color crema, de modo que los bordes inferiores queden alineados. A continuación plancha. Repite con la otra pieza. Sujeta las piezas con alfileres, derecho contra derecho, y después cose las costuras laterales y la inferior.

consejo

Si quieres ahorrar tiempo y evitar hilvanar capas de tela antes de coser a máquina, prende alfileres cruzando la costura y podrás coser sobre los alfileres.

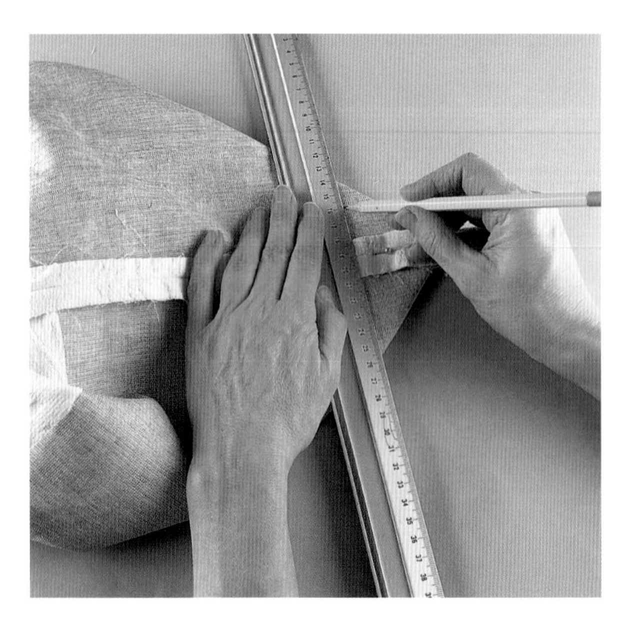

2 Plancha las costuras para abrirlas. Abre la esquina inferior, alinea las costuras inferior y lateral, de modo que la lateral quede en la parte superior; prende un alfiler cogiendo las dos costuras para alinearlas. Mide 6 cm desde la punta y dibuja una línea a lápiz perpendicular a la costura de unos 12 cm de longitud. Cose a máquina siguiendo la línea; da unos pespuntes hacia atrás en cada extremo para reforzar. Haz pespuntes en zigzag sobre la costura y recorta el triángulo de tela. Repite en la otra esquina.

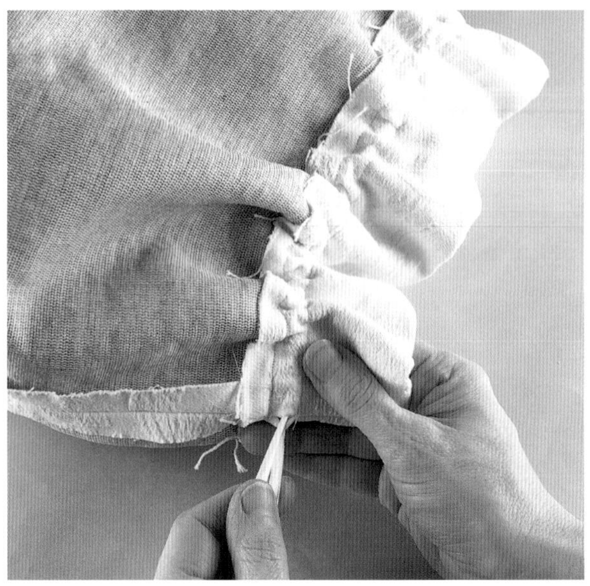

3 Recorta las costuras laterales hacia el borde de la entretela para reducir volumen. Dobla por encima del borde superior hasta que las costuras laterales midan 25 cm. Cose a máquina a 5 cm de dicho borde y a continuación a 6,5 cm para formar una jareta de 15 mm. En el interior, haz unos cuantos cortes entre las líneas de la jareta en una costura lateral. Mete la cinta y saca los dos extremos por el mismo lado. Tira de la cinta hasta que la abertura del bolso mida 20 cm de un lado a otro por el interior del bolso y ata para asegurar.

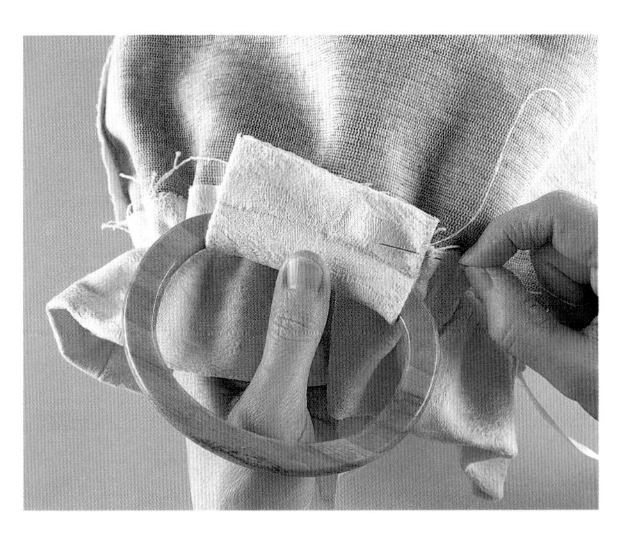

4 Para hacer las presillas del asa, corta dos cuadrados de 16 x 16 cm de tela jacquard color crema y plancha tejido adhesivo fundible por el revés de la tela; corta a la medida. Dobla dos bordes opuestos hacia el centro y plancha. Coloca las presillas de tela alrededor de las asas, de modo que los bordes sin rematar queden unidos. Después de ajustar el prensatelas, cose tan cerca del asa como sea posible. Sujeta las asas con alfileres por el interior del bolso y cose hacia la línea de la jareta para asegurar.

5 Para hacer el forro, corta dos piezas de 40 x 22 cm de tela estampada de flores. Colocando derecho contra derecho, cose las costuras laterales y la inferior y las esquinas, como se describe en el paso 2. Da la vuelta al bolso e hilvana el forro en el interior. Dobla hacia abajo el borde superior del forro y sujétalo con alfileres, aflojándolo para hacer los frunces. Cose con puntadas escondidas por encima de la línea de la jareta.

consejo

Recorta la tela que sobra en la punta del pañuelo y utiliza una aguja de hacer punto para darle la vuelta.

6 Para hacer el pañuelo de adorno, corta una tira de 25 x 60 cm de tela estampada de flores. Dobla la tela por la mitad, a lo largo, de modo que coincidan los derechos. Mide 25 cm desde cada uno de los extremos de los bordes sin rematar. Dibuja una línea curva a lápiz desde este punto hasta el pliegue del extremo de la tira. Cose siguiendo la línea y deja un espacio de 15 cm en el centro para darle la vuelta. Recorta las costuras, dale la vuelta y plancha; luego cierra el espacio con puntadas escondidas. Ata el pañuelo alrededor del bolso. Coloca los pliegues y frunces y sujétalos con alfileres para que queden en su sitio. Cose el pañuelo dando puntadas invisibles entre los pliegues para mantener la tela en su sitio.

bolso de organza (páginas 38-42)

Fotocopiar a tamaño real

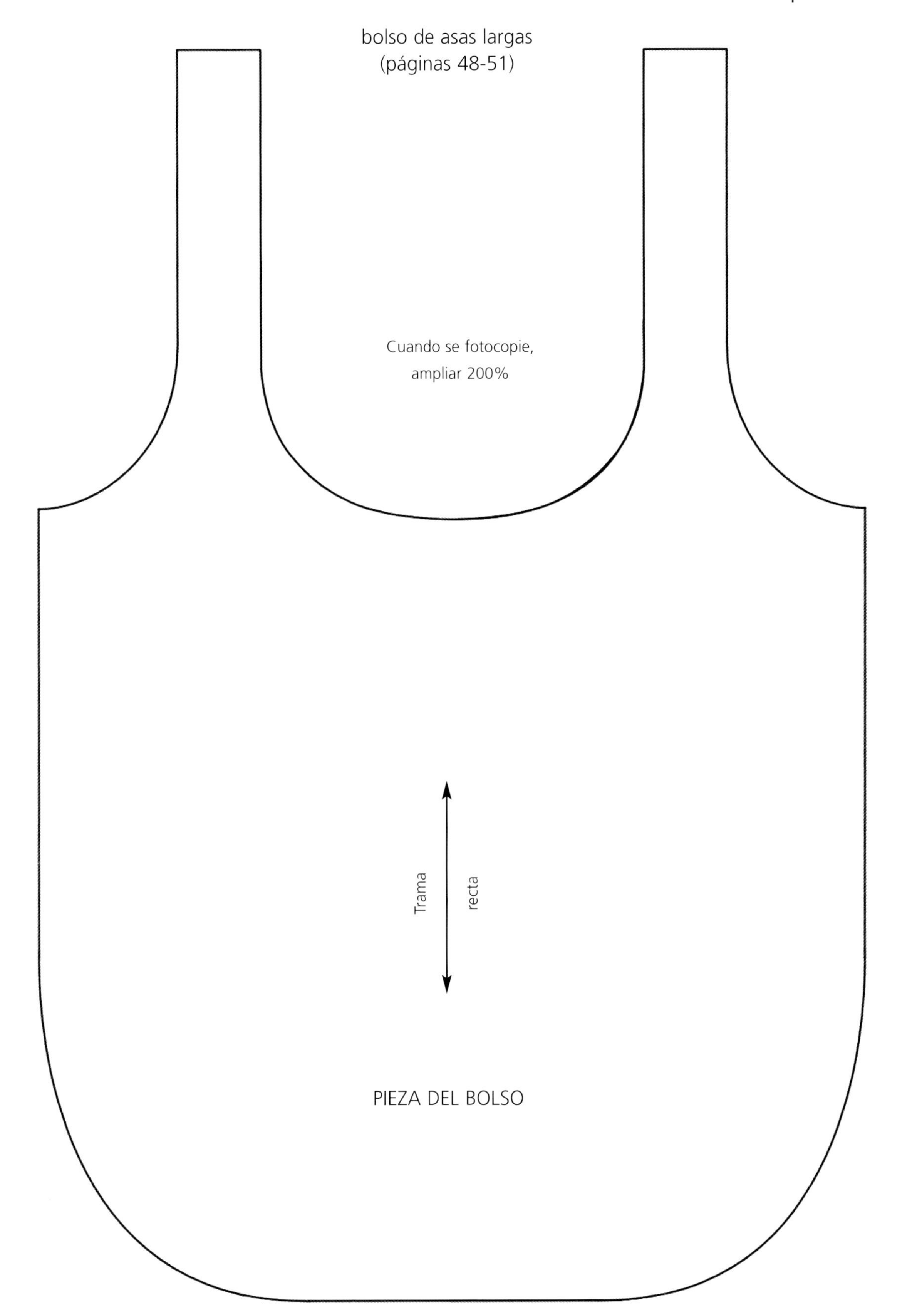
bolso de asas largas
(páginas 48-51)
Cuando se fotocopie,
ampliar 200%
Trama
recta
PIEZA DEL BOLSO

Bolso reversible (páginas 56-59)

Cuando se fotocopie,
ampliar 167%

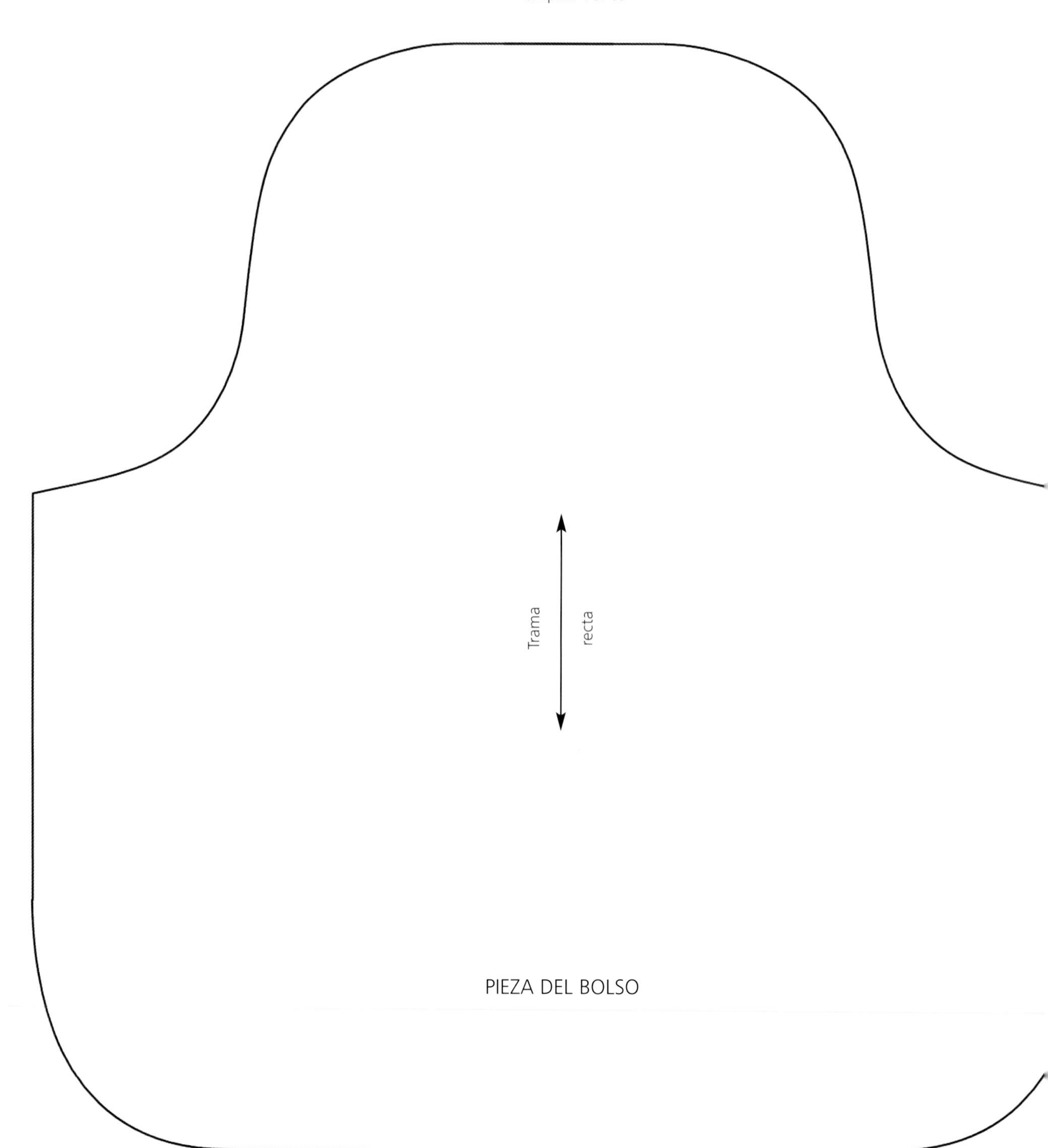

Bolsa de labores (páginas 60-63)

Cuando se fotocopie,
ampliar 167%

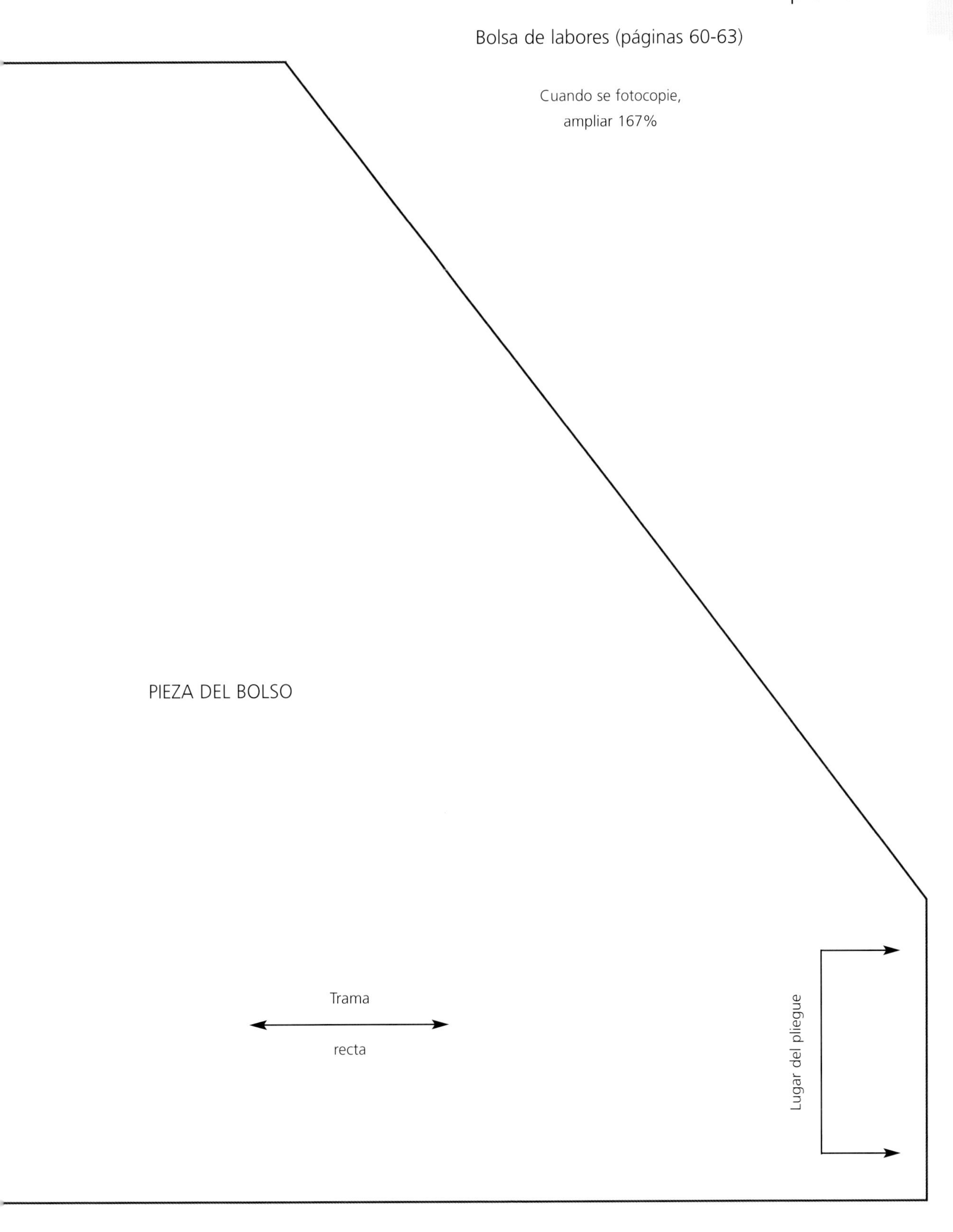

Estampado dálmata
(páginas 68-71)

Cuando se fotocopie, ampliar 200%

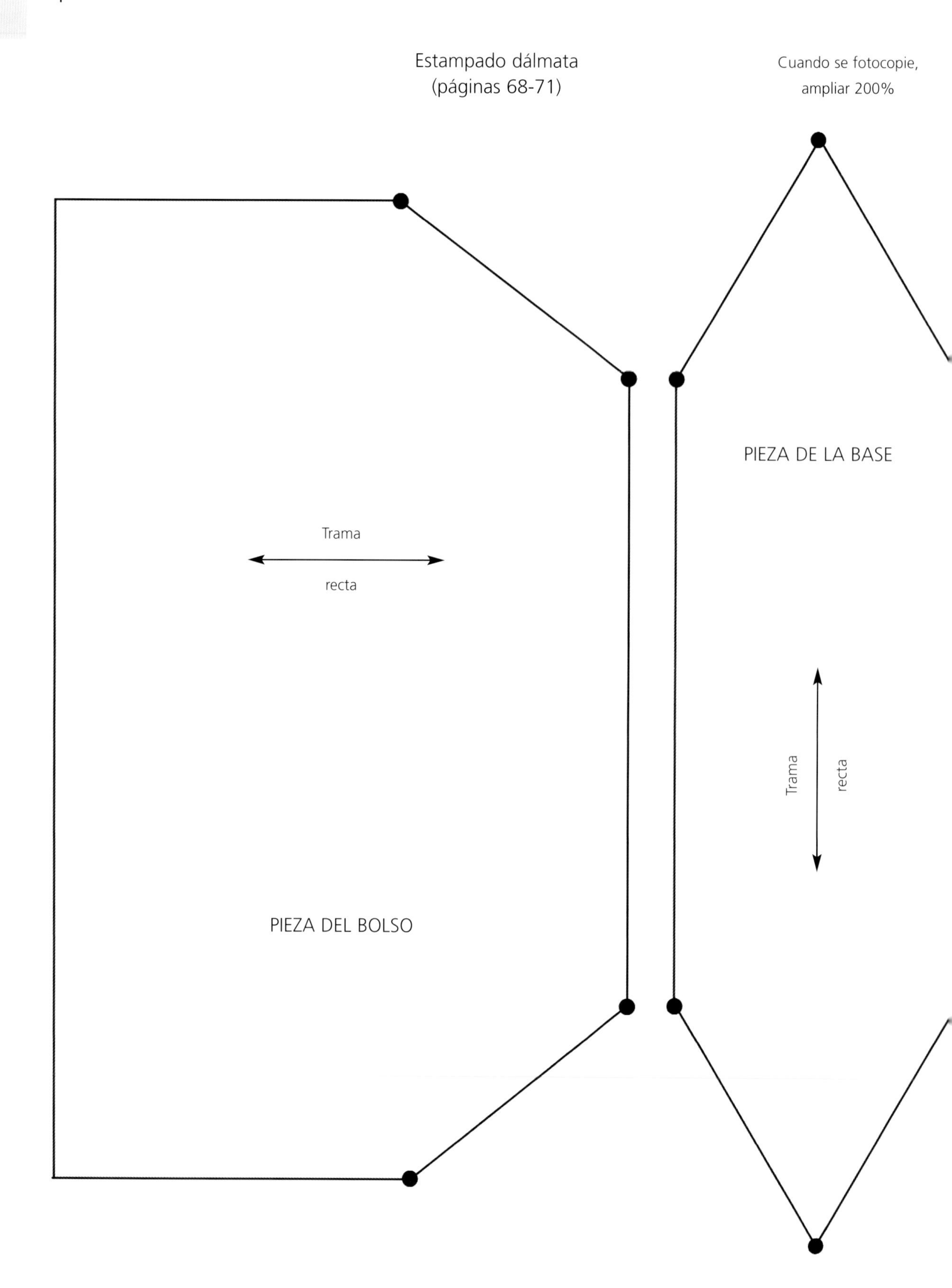

Cuando se fotocopie, ampliar 200%

Bolso de *tweed*
(páginas 76-79)

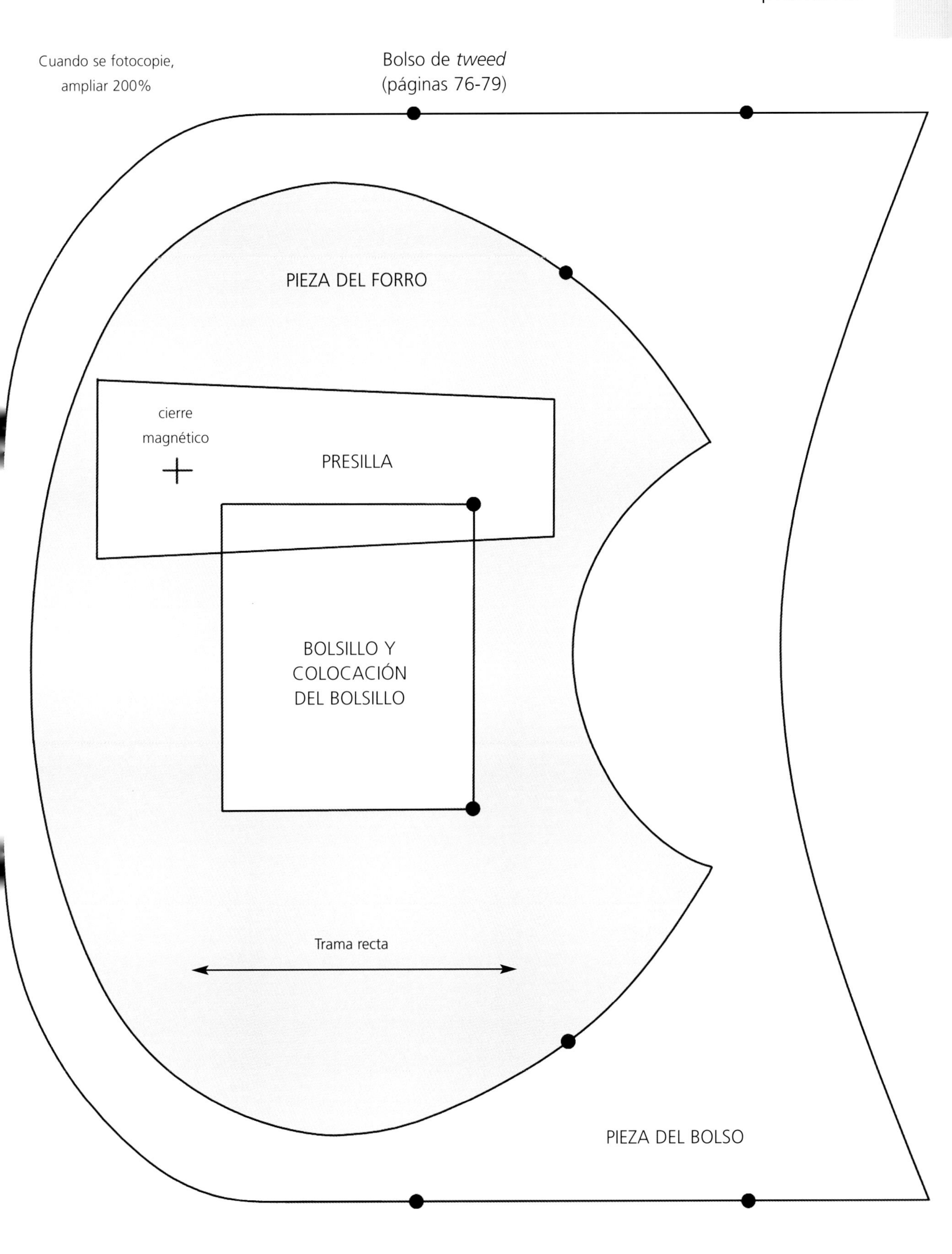

Cuando se fotocopie, ampliar 167%

bolso de playa (páginas 80-83)

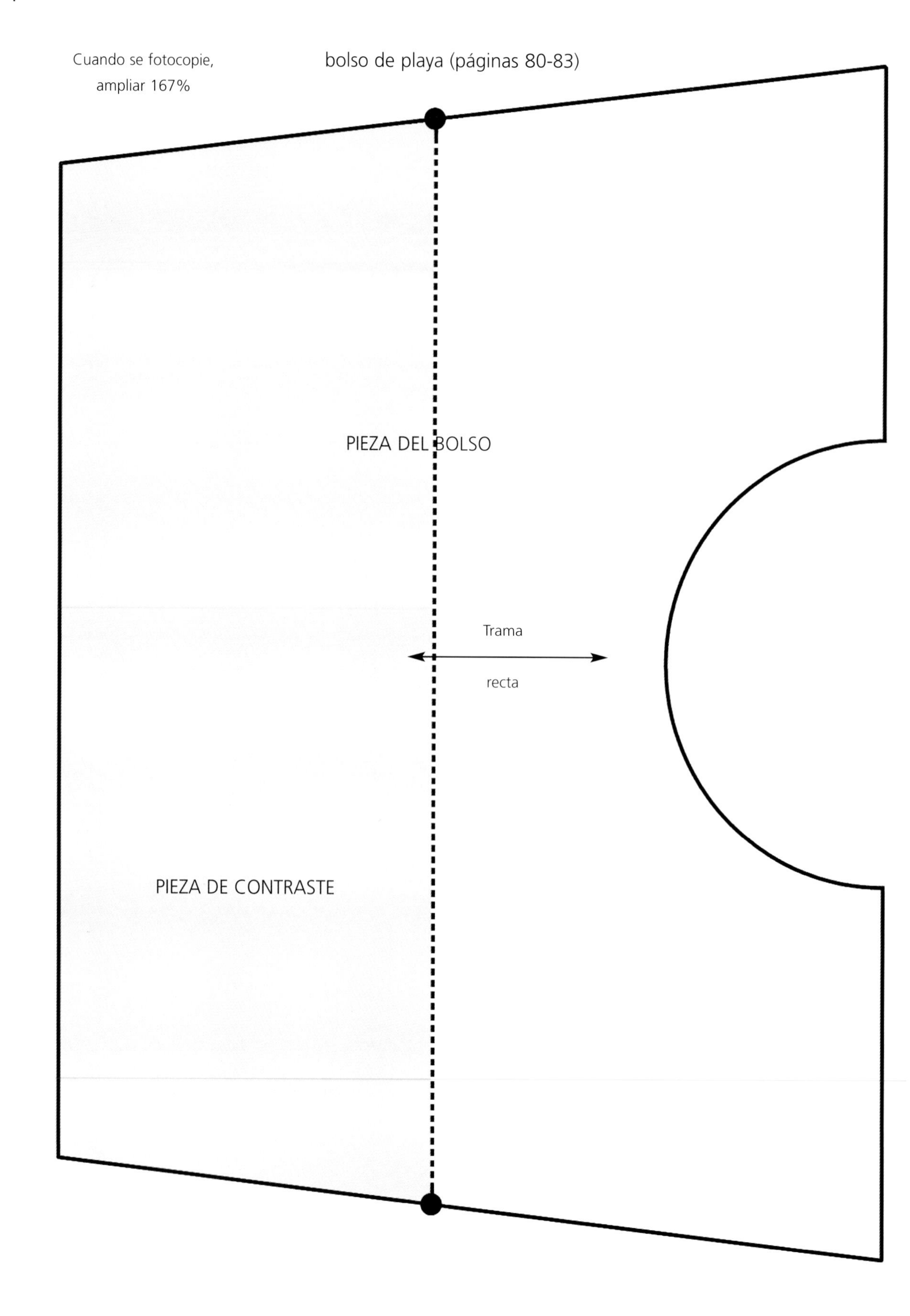

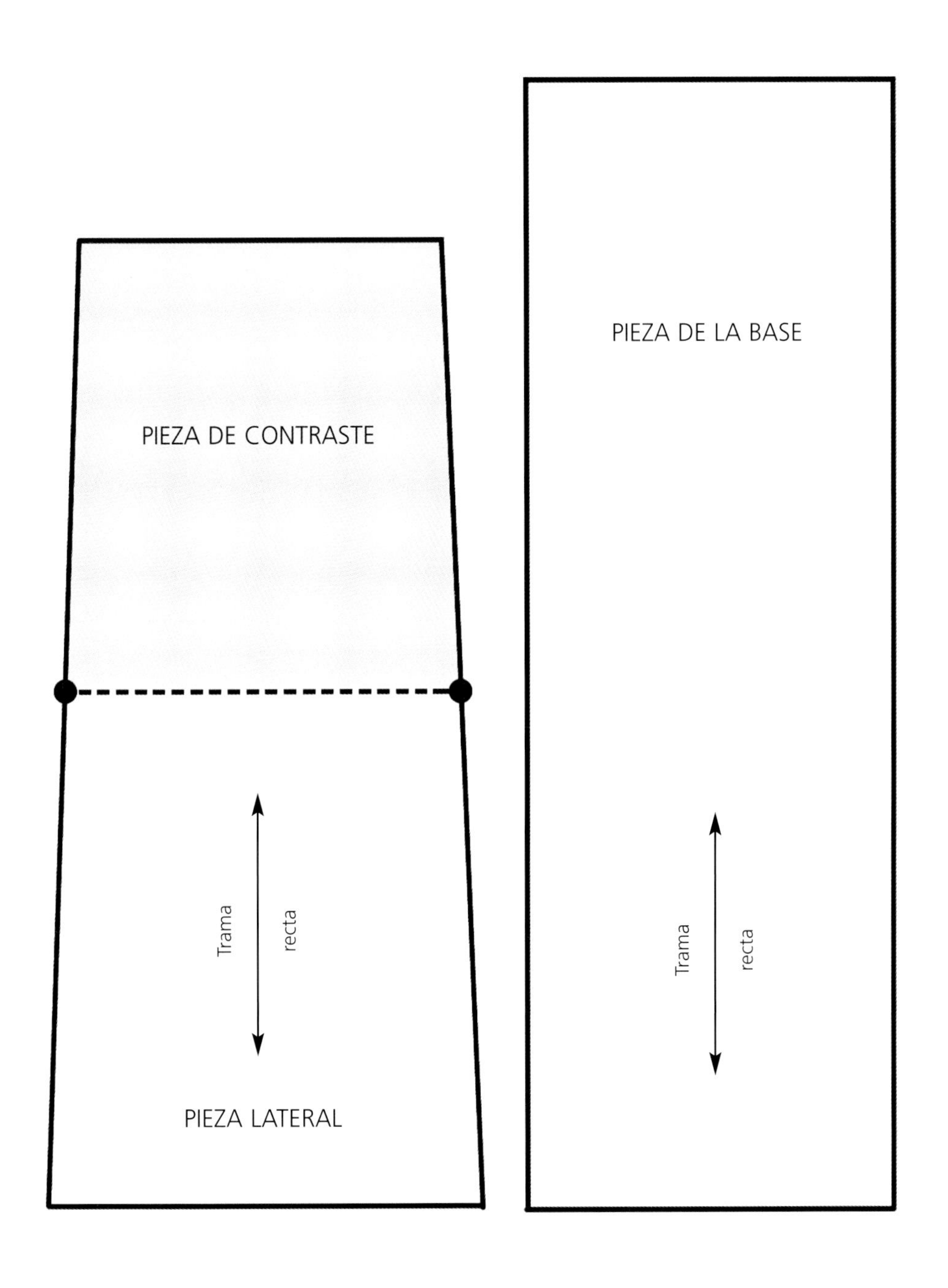
PIEZA DE CONTRASTE
Trama
recta
PIEZA LATERAL
PIEZA DE LA BASE
Trama
recta

índice